PEQUEÑOS genios

Caballeros y castillos

DESCUBRE Y APRENDE

Con adivinanzas, crucigramas y juegos

Introducción

Los caballeros eran valientes, fuertes y buenos
luchadores. Vivieron hace ya mucho tiempo.
Tal vez, hace unos 800 años tú mismo hubieras
sido un noble caballero, que demostrara
su valor en el campo de batalla y saliera
vencedor de numerosos torneos.
O quizás habrías venido al mundo
como una distinguida doncella,
y tu belleza hubiese cautivado
a todos los caballeros e inspirado
los más maravillosos poemas y
canciones.

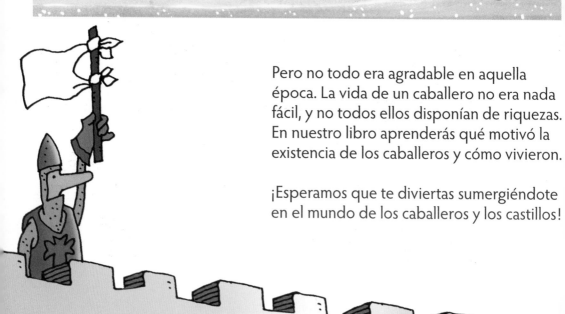

Pero no todo era agradable en aquella
época. La vida de un caballero no era nada
fácil, y no todos ellos disponían de riquezas.
En nuestro libro aprenderás qué motivó la
existencia de los caballeros y cómo vivieron.

¡Esperamos que te diviertas sumergiéndote
en el mundo de los caballeros y los castillos!

La vida en la Edad Media

Se llama Edad Media al período comprendido entre los siglos V y XV. Se divide en la Alta Edad Media (más o menos entre los siglos V al X), la Plena Edad Media (alrededor de los siglos X al XIII) y la Baja Edad Media (aproximadamente entre los siglos XIII y XV). La cultura de los caballeros alcanzó su apogeo durante la Plena Edad Media. Durante la Edad Media, la vida era muy diferente de la que conocemos actualmente. Muchas de las cosas que hoy en día damos por hechas, por entonces ni siquiera se habían inventado o descubierto. Por ejemplo, no existían neveras ni coches. Si se quería ir de un sitio a otro, solo existían dos alternativas: a pie o a caballo. La gente creía que la Tierra era un disco plano, no sabían que se trata de una esfera. Aún no se había descubierto América.

¿Ves las diferencias?

En las investigaciones astro-lógicas de nuestro científico algunas cosas han salido mal.

Ocho diferencias se han colado en el dibujo inferior. ¿Serás capaz de encontrarlas todas?

Sopa de letras

En esta sopa de letras se esconden los conceptos que aparecen más abajo, todos provenientes del mundo de los caballeros. ¿Puedes encontrarlos? Se encuentran en horizontal, en vertical o en diagonal, al derecho o al revés.

E	C	R	U	Z	A	D	A	E	H	Z	O
D	O	E	N	R	O	T	C	S	E	L	L
A	O	L	L	I	T	S	A	C	S	J	L
R	A	H	C	A	H	E	B	U	P	U	A
M	A	C	H	A	A	B	A	D	A	R	S
A	E	O	I	M	L	E	L	E	D	A	A
D	J	M	C	A	A	L	L	R	A	M	V
U	A	U	C	D	N	P	E	O	B	E	N
R	P	A	G	E	Z	V	R	C	O	N	V
A	Y	O	Y	L	A	R	O	F	N	T	N
O	B	U	B	G	A	Y	E	L	M	O	S
T	E	M	P	L	A	R	I	O	A	E	D

ABAD - ARMADURA - CASTILLO - CABALLERO - CRUZADA - DAMA - DONCELLA - ESCUDERO - ESPADA - HACHA - JUGLAR - JURAMENTO - LACAYO - LANZA - PAJE - PLEBE - TEMPLARIO - TORNEO - VASALLO - YELMO

¿Por qué existieron los caballeros?

Durante la Edad Media, los caballeros prestaron sus servicios como valientes guerreros. Pero, ¿por qué? Para entenderlo hemos de volver algunos siglos atrás. Seguramente habrás oído hablar del islam. Es una de las grandes religiones de la Tierra. Su fundador fue el profeta Mahoma, que murió en el año 632 en Medina (Arabia Saudita). Para sus seguidores, la expansión de su fe en todo el mundo era muy importante, así que estos atravesaron África y llegaron a España, además de cruzar el Bósforo para continuar hacia Europa Oriental. El Bósforo es el estrecho de mar que separa Asia de Europa. Divide Estambul, la ciudad turca, en dos partes. Los seguidores de Mahoma conquistaron con rapidez grandes zonas de España y Portugal, y siguieron hacia el norte: en octubre del año 732 invadieron territorios de lo que hoy se conoce como Francia, en las cercanías de Tours y Poitiers. Aquí tuvo

Mahoma en Medina

lugar una terrible batalla entre los cristianos y los musulmanes, que ganaron los primeros. En esta lucha peleó la caballería pesada de los francos, precursora de los caballeros.

Nota

Carlos Martel capitaneó la Batalla de Tours y Poitiers desde el lado cristiano. Suya fue la idea de emplear jinetes fuertemente acorazados. Aunque Carlos Martel fue una persona relevante durante la Alta Edad Media, su rango no era de rey sino de mayordomo (el intendente principal del rey). Carlos Martel fue el abuelo de Carlomagno.

Carlomagno

Carlomagno (Carlos el Grande) recibió ese nombre no solo debido a su gran estatura. Fue un poderoso monarca, y su reino (el Imperio Carolingio) abarcó media Europa. Combatió contra los musulmanes, aunque también mantuvo relaciones amistosas con algunos de ellos. Según una leyenda, el califa árabe Harun al-Rashid le regaló un elefante blanco que fue transportado desde Bagdad hasta Aquisgrán. Carlomagno murió hace casi 1200 años.

Nota

Las **fronteras** de los diversos países europeos, tal como las conocemos hoy en día, no existían en aquel entonces. Los países tenían otros nombres, y existían grandes y pequeños reinos y principados. Sin embargo, para que te resulte más sencillo ubicarte, empleamos los nombres de los países actuales, como Alemania o Francia.

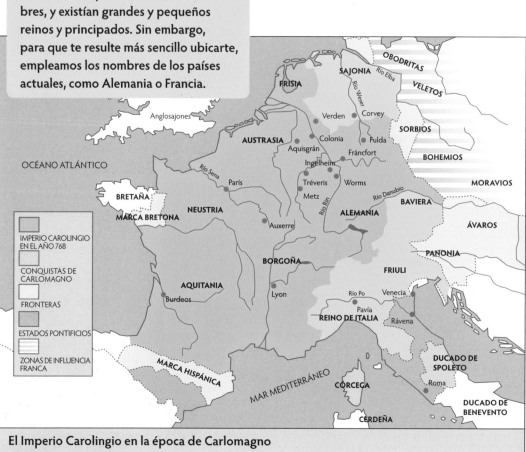

IMPERIO CAROLINGIO EN EL AÑO 768

CONQUISTAS DE CARLOMAGNO

FRONTERAS

ESTADOS PONTIFICIOS

ZONAS DE INFLUENCIA FRANCA

El Imperio Carolingio en la época de Carlomagno

Los vikingos

El Imperio Carolingio se desintegró tras la muerte de Carlomagno. Durante esta época fue invadido a menudo por los vikingos, que saquearon sus costas. Incluso llegaron a conquistar París y exigieron un gran rescate en oro por la entrega de la ciudad. Pero los vikingos no solo realizaban sus viajes con fines bélicos (para conquistar territorios y colonizarlos), sino también con la intención de comerciar. Para ello, sus barcos surcaban los ríos rusos llegando incluso hasta Constantinopla (la actual ciudad de Estambul).

Pregunta

Los vikingos eran tipos duros. Solo uno de estos barcos es un auténtico barco vikingo, ¿cuál de ellos?

Magiares y mongoles

También desde Asia se produjeron ataques, como los de los magiares y mongoles, que sembraban el terror en los pueblos situados más al este de Europa.

El rey busca guerreros

Los numerosos ataques y saqueos procedentes del sur, el norte y el este obligaron a los países de aquel entonces a defenderse. El rey y los príncipes gobernantes necesitaban «soldados» que siempre estuvieran listos para luchar. Pero, ¿a quién recurrir? La guerra, al fin y al cabo, ¡podía significar la muerte!

Con el fin de que el rey y los príncipes dispusieran siempre de un buen número de soldados, comprometieron a sus vasallos para que los apoyaran en caso de guerra, obligándolos a profesar un «juramento de fidelidad». Ese hecho marcó el nacimiento de la caballería andante. Como contrapartida, los caballeros recibían del rey o de los príncipes tierras, un castillo o una finca (los llamados «feudos»). Pero cuidado: las tierras no se regalaban, seguían perteneciendo a sus dueños. Si un caballero desoía la llamada de su señor, este podía quitarle las tierras o el castillo.

Haz parejas

Cada uno de estos caballeros hace pareja con otro de aspecto totalmente idéntico. ¿Serás capaz de encontrar las cuatro parejas que hay?

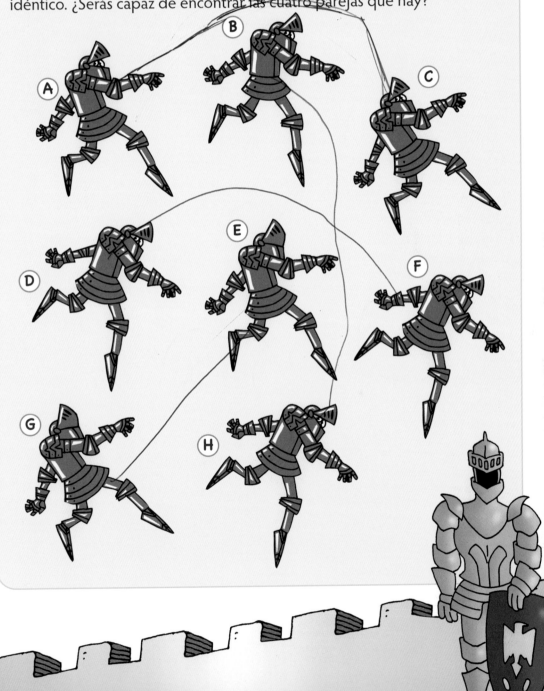

El feudalismo

El término «feudalismo» proviene del latín *feudum*. La tierra donde vivían los campesinos o siervos de la Edad Media no les pertenecía, sino que la «tomaban prestada» de sus señores, y en pago por ello estaban obligados a entregarles la décima parte de sus cosechas (el diezmo). Pero el señor feudal tampoco era el dueño de la tierra, sino que el verdadero propietario (el rey o un noble) se

la cedía a cambio de fidelidad y de que luchara por él en la guerra (esto se llamaba vasallaje). Así pues, el feudo era el compromiso entre el soberano y el señor feudal. Los caballeros, en general, no eran realmente libres, pues sus tierras pertenecían a un noble de mayor rango y dependían de ellos. Imagínate la sociedad medieval como una pirámide, en cuya cúspide se encuentra el rey y cuya base está formada por los campesinos y el pueblo llano (la plebe).

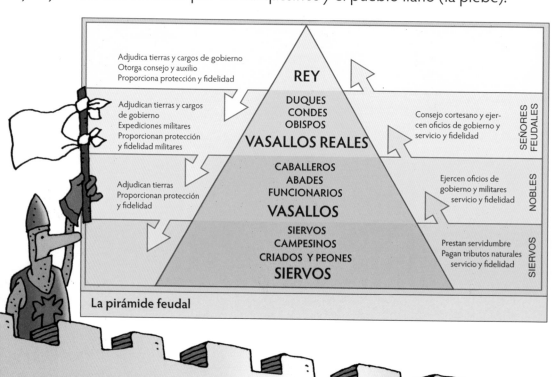

Adjudica tierras y cargos de gobierno
Otorga consejo y auxilio
Proporciona protección y fidelidad

REY

Adjudican tierras y cargos de gobierno
Expediciones militares
Proporcionan protección y fidelidad militares

**DUQUES
CONDES
OBISPOS
VASALLOS REALES**

Consejo cortesano y ejercen oficios de gobierno y servicio y fidelidad

SEÑORES FEUDALES

Adjudican tierras
Proporcionan protección y fidelidad

**CABALLEROS
ABADES
FUNCIONARIOS
VASALLOS**

Ejercen oficios de gobierno y militares servicio y fidelidad

NOBLES

**SIERVOS
CAMPESINOS
CRIADOS Y PEONES
SIERVOS**

Prestan servidumbre
Pagan tributos naturales servicio y fidelidad

SIERVOS

La pirámide feudal

Repartición de castillos

Siete caballeros del rey recibirán un castillo por sus servicios. Divide el terreno en siete partes empleando para ello únicamente tres líneas rectas.

Arriba y abajo

En este acertijo se esconden dos palabras relacionadas con la propiedad de las tierras en la Edad Media. ¿Puedes hallarlas? Gira los discos hasta colocarlos en la posición correcta.

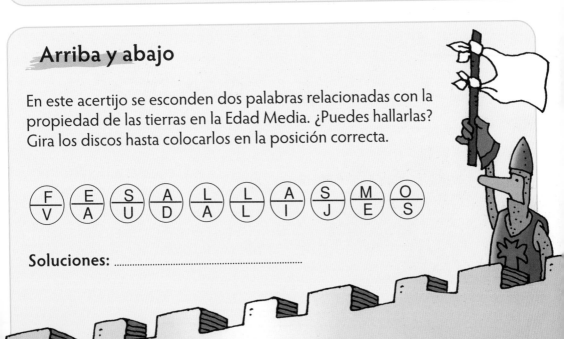

Soluciones: ....

Acertijo

El caballero Cuniberto cabalga orgulloso frente a su castillo. Pero varias cosas de su entorno han cambiado y le causan sorpresa. Encuentra cuáles no tienen sentido en la imagen.

Los estamentos medievales

En la Edad Media, las personas se dividían en diversos grupos denominados estamentos. Existían tres tipos de estamento: en primer lugar, el que estaba formado por los religiosos, que incluía a todas las personas que trabajaban para la Iglesia (sacerdotes, monjes, obispos, abades e incluso los papas). Este grupo se denominaba «clero». El segundo estamento era el de la nobleza, constituido por los condes, duques, reyes y emperadores, pero también por los caballeros. Finalmente, el tercer estamento estaba formado por los campesinos libres que poseían tierras, así como por los ciudadanos que habitaban en las ciudades. Además, había muchas personas que no pertenecían a ningún estamento, como, por ejemplo, los campesinos que no poseían tierras, los mendigos y los siervos.

¿Sabías que...

... los **campesinos libres,** es decir, aquellos que poseían tierras, también estaban obligados a entregar parte de sus productos a la Iglesia? Este impuesto también se denominaba diezmo.

La caballería pesada franca, predecesores de los caballeros

Los predecesores de los caballeros fueron los miembros de la caballería pesada de los francos, que, siguiendo el ejemplo romano, vestían un tipo de armadura denominada «catafracto». Lucharon en muchas batallas durante la Alta Edad Media. Carlos Martel, el mayordomo de los francos, eligió a estos jinetes de pesadas armaduras para luchar contra los musulmanes en la Batalla de Tours y Poitiers.

¿Sabías que...

... la traducción de **catafracto** es «cubierto, cerrado, protegido»? Los jinetes vestían armaduras pesadas y completamente cerradas. En la Antigüedad, los jinetes catafractos iraníes ya se habían enfrentado con los romanos.

Paula y el guardián de la torre

Ayúdales a encontrar la sombra correcta de la torre de la imagen. ¿Sabes cuál es?

Ⓐ Ⓑ Ⓒ Ⓓ

¿Sabías que...

... la **caballería pesada** viajaba mucho más rápidamente que los guerreros a pie? Mientras que un soldado a pie recorría una media de unos 20 kilómetros al día, la caballería podía cabalgar hasta 50 kilómetros en cada jornada.

¿Qué vestía la caballería pesada?

Los jinetes armados vestían un sayo de cuero sobre el que colocaban una cota de malla o una armadura de placas. Sobre la cabeza iba un casco de tiras de metal, dos grebas les protegían las piernas, y un escudo de madera (en España se solía emplear un escudo de cuero denominado «adarga»), una lanza alada y una espada completaban el equipo. Además, la caballería pesada se aprovechaba de algo que cambió de raíz la lucha a caballo: la silla de montar con estribos, que permitía a los jinetes permanecer sentados con las dos manos libres para combatir. Se cree que los ávaros (un pueblo nómada de Asia central, que durante la Edad Media vivía en la actual Hungría) fueron los inventores de los estribos de metal.

Caballeros

Los primeros caballeros surgieron entre la caballería pesada de los francos. Ser caballero resultaba muy costoso, pues todo aquel que quisiera serlo debía adquirir los accesorios correspondientes y no todo el mundo podía permitírselo. Hace unos 700 años era habitual que la condición de caballero pasara de padre a hijo, es decir, se heredara. De modo que para el pueblo llano, que carecía de antepasados nobles y de dinero, convertirse en caballero era casi imposible.

¿Sabías que...

… **«caballero»** y **«caballo»** provienen de *caballus*, animal castrado utilizado para cargar. El resto de caballos eran *equus*, de donde derivó «ecuestre». *Miles* («guerrero») fue el primer término para designar al caballero y el origen de «milicia».

Escuderos armados

Además de caballeros había escuderos armados, una especie de «escuderos de lujo». Esta diferenciación era importante en los torneos, pues mientras que un caballero podía participar con hasta tres caballos, a los escuderos armados solo les estaban permitidos dos. A veces se nombraba caballeros a los escuderos antes de las batallas para elevar su moral. Aquel que no se podía permitir ser caballero se veía forzado a continuar en el papel de escudero.

El coste del equipo del caballero

Se conserva una lista de la época de Carlomagno en la que se describe lo que costaban los accesorios básicos de un caballero en su equivalencia en vacas.

UN CABALLO

UNA ESPADA

UNA ARMADURA DE PLACAS

DOS GREBAS

UN YELMO

UN ESCUDO DE MADERA O DE CUERO + UNA LANZA

Caballeros ladrones

Al principio los caballeros no se regían por ningún código de virtudes. Eran tipos duros, que robaban y saqueaban a caballo pueblos y ciudades, o que atacaban a los mercaderes y a otros viajantes que encontraban en los caminos. No todos los caballeros eran ricos, y muchos empleaban esos métodos extremos para mejorar su precaria situación. A partir del siglo XIV los reyes y la Iglesia los combatieron con encono.

Cruzados

Además estaban los caballeros cruzados, que en nombre de la cruz (es decir, de Jesucristo) partían a hacer guerra santa. Lucharon en las Cruzadas.

De paje a caballero

La caballería, como todos los oficios, requería un aprendizaje, que se dividía en varias etapas. Cada una tenía una duración aproximada de siete años.

Los primeros siete años

Un chico pasaba los primeros siete años de vida con su familia, jugando con sus hermanos pero también aprendiendo de sus padres la forma en la que un verdadero cristiano debía comportarse.

La etapa de paje

A los siete años se iba a una corte o un castillo para servir como paje. Allí asistía a los invitados de su señor, que por lo general era un caballero amigo o un feudatario de su padre. Los pajes aprendían las fórmulas de cortesía y los modales en la mesa, y también hacían de mensajeros. Pero cabalgar, disparar con arco y nadar formaban asimismo parte de su aprendizaje. Además, los pajes se iniciaban en los aspectos más importantes del cristianismo, de modo que no solo se convirtieran en fuertes guerreros de modales exquisitos, sino también en buenos cristianos.

El escudero

Cuando cumplía 14 años, el paje era bendecido por un sacerdote, recibía una espada corta y era nombrado escudero. Esta nueva etapa del entrenamiento, también de siete años, era muy dura y agotadora.

Tareas de un escudero

El escudero siempre debía mantenerse junto a su caballero, era responsable de cuidar sus caballos, ensillarlos, colocarles las bridas y cepillarlos cada noche. Cuando su señor salía de caza al bosque, el escudero lo acompañaba. Además, en caso de guerra, estaba obligado a ir junto al caballero para ocuparse de sus necesidades, de sus caballos y de sus armas. Pero también aprendía a bailar y a tocar un instrumento musical.

Juego de calcular

Antón el escudero es un pésimo jinete, pero aún es peor haciendo cuentas.

ARA $8 \times 2 = 16$

ESP $19 - 13 = 6$

ZO $11 + 9 = 20$

ALD $7 + 5 = 12$

Ayúdalo a resolver estas operaciones y ordena los resultados de menor a mayor. Las letras correspondientes constituyen el nombre que recibía la ceremonia de armar a un caballero.

El aprendizaje del escudero

El administrador del feudo le enseñaba cómo dirigir y defender una finca. Por supuesto, la formación del escudero debía incluir todo lo necesario para que él mismo se convirtiera en caballero.

Debía instruirse en todas aquellas cosas que su señor era capaz de hacer, como utilizar una espada, una lanza o un hacha de guerra, o cómo cabalgar con toda la armadura puesta.

Podría decirse...

… que el escudero se sometía a un **aprendizaje** que lo convertía a la vez en soldado, armero, cuidador de animales, músico, mozo y comerciante. No está nada mal, ¿no te parece?

Al cumplir 14 años...

... también en tu caso cambian algunas cosas. Por ejemplo, puedes salir hasta las 10 de la noche o elegir qué religión es la que más te conviene. ¡Pero todos estos **derechos** vienen acompañados de **responsabilidades!** Por ejemplo, si haces algo que no está bien a los 14 años, un juez te puede juzgar y someterte a una condena.

¡Por fin caballero!

Hacia los 21 años de edad, si el escudero y su familia tenían suficiente dinero para comprar un caballo y una armadura, podía convertirse en caballero. Pero para ello estaba obligado a demostrar que era digno de serlo. El escudero, antes de someterse a la ceremonia de investidura de caballero (también denominada espaldarazo), debía ayunar y rezar. Solo cuando ya había alcanzado el estatus de caballero recibía el yelmo, la espada y el escudo.

Importante

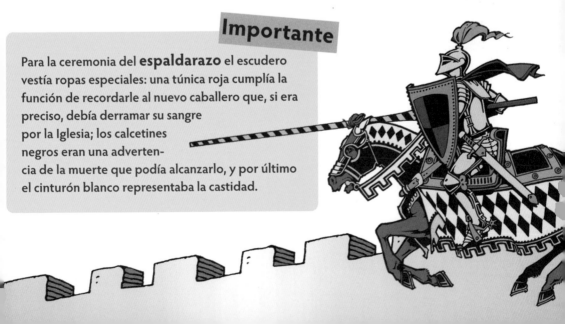

Para la ceremonia del **espaldarazo** el escudero vestía ropas especiales: una túnica roja cumplía la función de recordarle al nuevo caballero que, si era preciso, debía derramar su sangre por la Iglesia; los calcetines negros eran una advertencia de la muerte que podía alcanzarlo, y por último el cinturón blanco representaba la castidad.

El espaldarazo

Mediante la ceremonia del espaldarazo, el escudero era aceptado en la comunidad de los caballeros. El aspirante había pasado la noche anterior en ayuno y oración, pero después de la ceremonia se celebraba una fiesta por todo lo alto, que solía durar varios días. Luego, el joven caballero partía a la aventura para empezar a fraguarse una reputación como valiente guerrero.

Un escudero es nombrado caballero.

Importante

Durante el **espaldarazo**, el nuevo caballero debía pronunciar las siguientes palabras:
- Juro defender a los débiles.
- Juro proteger a la Iglesia, creer en su doctrina y respetar sus mandamientos.
- Juro cumplir con las obligaciones debidas a mi señor.
- Juro actuar con franqueza y generosidad en todo momento.
- Juro pelear siempre contra la injusticia y por el derecho.
- Juro cumplir siempre mi palabra.

Laberinto

El caballero necesita regresar rápidamente
a su castillo. Para ello debe atravesar el sótano.
Sin embargo, no puede tomar el mismo
camino dos veces, ni cruzar su propia
trayectoria, ¿por dónde debe ir?

Deberes
y metas

Durante la Plena Edad Media, hace entre 700 y 900 años, la mayoría de los caballeros ya había dejado de ser una banda de pillos y maleantes y vivía según un código de sólidos valores y virtudes. Pero, ¿quién fue el responsable de este paso hacia la civilización? Fue la Iglesia quien, al imponer muchas de las reglas cristianas a la caballería, le otorgó a la vez un alto prestigio.

Importante

Novelas de caballería como ejemplo
En las novelas de caballería se describían las costumbres cortesanas y el comportamiento correcto de los caballeros. Así, estos podían aprender lo que se debía o no se debía hacer en cada situación. Estas novelas eran leídas en voz alta en muchas cortes medievales, pues muy pocos caballeros sabían leer o escribir.

Monasterios

Muchos monasterios se fundaron durante la Edad Media. Al contrario que en la actualidad, en aquella época esos edificios ejercían una notable influencia en la vida mundana. Los religiosos podían ser señores feudales, cuidaban de los enfermos en los hospitales, se dedicaban a la agricultura y la botánica, tenían conocimientos médicos y prestaban dinero a la gente. Durante la Edad Media no solo las personas con fe se dirigían a los monasterios: a muchas otras les interesaba hacer carrera en ellos. Además, los monasterios eran centros culturales y educativos, donde se aprendía a leer y a escribir y se copiaban, a mano, los libros importantes.

La abadía de Cluny fue uno de los monasterios más importantes de la Edad Media.

Monasterios influyentes

Aunque en Europa existieron numerosos monasterios, el que sobresalía por encima de todos era el de Cluny. La abadía fue uno de los monasterios más notables de toda la Edad Media. Fue en este lugar, en el centro de la Borgoña francesa, donde en el siglo X se instituyó «la paz de Dios», válida para todos los caballeros.

Importante

La **paz de Dios** era un período fijo durante el cual la Iglesia prohibía atacar a personas desarmadas, objetos y edificios. Los caballeros tampoco podían combatir todos los días. Con «la tregua de Dios» se prohibieron las peleas durante los períodos de ayuno, en los días de fiesta más importantes y durante algunos días de la semana. Por ejemplo, los combates solo se permitían de lunes a miércoles. De este modo, la Iglesia introdujo cierto orden en la existencia de los caballeros, bastante ruda hasta entonces.

Fe y religión

Durante la Edad Media la gente tenía que soportar con frecuencia las malas cosechas, hambrunas y epidemias. Esto los llevaba a buscar su salvación en la religión, pues creían que solo Dios sería capaz de protegerlos contra la sequía, la peste o los accidentes. La mayoría de la gente era muy creyente y respetaba las enseñanzas de la Iglesia.

Papa y emperador

Aunque el papado en Roma ya existía desde hacía varios siglos, Gregorio I fue el primero en utilizar el nombre de «Papa». A comienzos de la Edad Media, el emperador o los reyes ocupaban una posición social similar a la del Papa. Sin embargo, en el siglo XI el Papa reclamó el derecho exclusivo sobre todos los poderes eclesiásticos. En aquella época los obispos todavía eran elegidos por el máximo poder civil, lo que tenía una gran importancia para los reyes y el emperador. Pero Gregorio VII estaba decidido a acabar con aquella práctica y se enfrentó al poderoso emperador germánico Enrique IV. Cuando el primero excomulgó al emperador, este se vio forzado a hacer penitencia en el año 1077, desplazándose en pleno invierno a la ciudad de Canossa, en el norte de Italia, para pedir perdón al Papa.

El laberinto hacia Canossa

Enrique IV se va a Canossa, ¿le ayudas a encontrar el camino?

Virtudes caballerescas

Los caballeros debían servir a Dios, a su señor y también a sus subordinados y vasallos. De modo que las virtudes más importantes para un caballero hacia su señor y rey eran la obediencia, la fidelidad, el respeto y el valor en el combate. Además, los caballeros estaban obligados a comportarse como buenos cristianos y a proteger a la Iglesia, a los pobres y a los débiles. En sociedad, y en especial en la mesa, se comprometían a ser corteses y discretos en todo momento. Debían emplear buenos modales, ¡y nunca comer haciendo ruidos ni eructando!

Nota

Cosas que un **escudero debía saber hacer** antes de ser nombrado caballero: cabalgar; nadar; disparar certeramente con ballesta y con arco y flecha; subir por escaleras, cuerdas y astas; pelear con agilidad y destreza en los torneos; luchar bien con las manos; utilizar la espada con ambas manos; tener buenos modales en la mesa, y saber jugar al ajedrez.

Caballeresco

Cuando una persona se comporta de modo especialmente justo y decente, y ayuda a otras personas necesitadas, se suele decir que su conducta es caballeresca. Al oír la palabra «caballero» se tiende a pensar en héroes fuertes y valientes, que son diestros cabalgando y en el manejo de las armas. También son populares entre las damas, y poseen suficiente dinero como para no pasar hambre. El prototipo más conocido de un caballero noble y valeroso es sin duda el legendario Rey Arturo de Inglaterra y su célebre Mesa Redonda. Encontrarás más información sobre él en la página 102.

El equipamiento

Obviamente, un caballero estaba bien
equipado para el combate. Poseía un
brioso corcel de guerra, una armadura,
un yelmo, un escudo con su blasón,
una lanza,
una pértiga,
una espada y un hacha de
guerra. Su escudero siempre
estaba allí para ayudarlo.

Importante

La **armadura** es la coraza de metal
que cubre el cuerpo de un caballero
y lo protege contra ataques.

El caballo

Como ya indica el nombre, la posesión de un caballo era prioritaria para un
caballero, y muchos tenían varios ejemplares que utilizaban con distintos fines.
Por ejemplo, un fuerte corcel de guerra resultaba más adecua-
do para una batalla que un noble y ligero caballo de carreras,
que probablemente no hubiera sido capaz de soportar sin
desfallecer el peso del caballero con toda su armadura,
la espada y el escudo. Pero, por otro lado, mientras más rápido y ágil era el caballo,
mayores eran sus proba-
bilidades para que él y
su caballero salieran con vida de la lucha.
Además del caballo también disponía
de silla de montar, arreos y una túnica o
gualdrapa con que cubrir
al animal.

Cota de malla y armadura

Cota de malla

Coraza para el pecho

Los caballeros vestían inicialmente una cota de malla que los protegía de las flechas y los golpes de las espadas. Más tarde surgió la coraza (armadura fija para el pecho), que después evolucionó a la loriga (de placas móviles). Las armaduras de placas se fabricaban a la medida del cuerpo del caballero, pues había caballeros altos, bajitos, gordos ¡y otros más delgados que un fideo! Algunos nobles encargaban armaduras para sus hijos con el fin de que se acostumbraran al peso ya desde la niñez. Una armadura podía pesar entre 20 y 30 kilos.

El yelmo y el blasón

En un principio los caballeros empleaban un casco que permitía verles la cara. Luego se inventó una protección para la nariz y surgió el yelmo. Más tarde, este ocultaba la cara por completo, por lo que el caballero solo podía ver a través de una estrecha ranura. Como era imposible reconocerlos con el yelmo puesto, surgió el blasón (o escudo de armas), que se pintaba sobre su ropa, en su escudo y también en la túnica de su caballo.

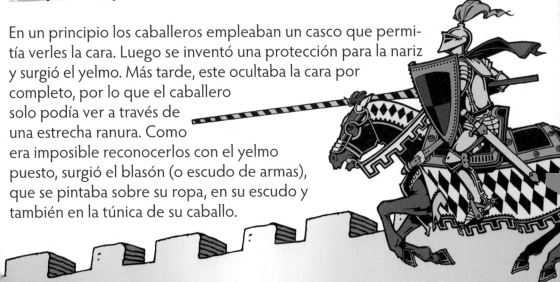

Partes de la armadura

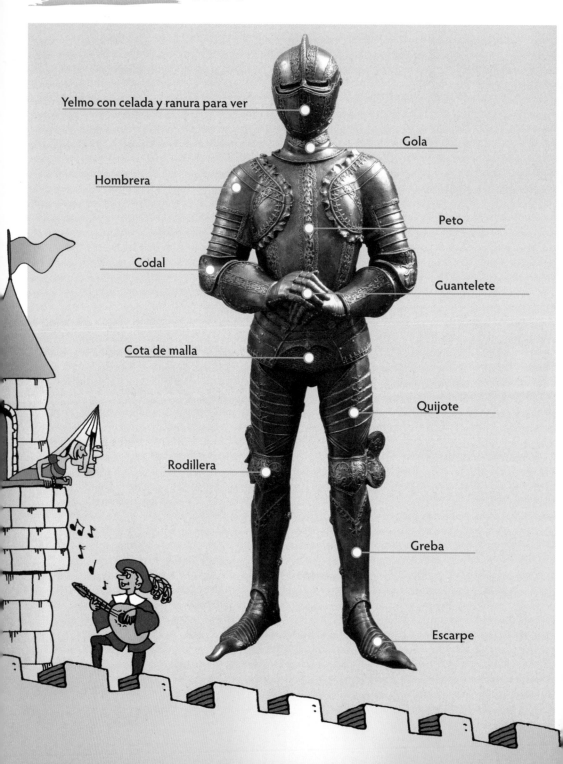

Yelmo con celada y ranura para ver

Gola

Hombrera

Peto

Codal

Guantelete

Cota de malla

Quijote

Rodillera

Greba

Escarpe

Para equipar a un caballero

En este pasatiempo encontrarás casi todo el equipamiento que un caballero necesita. Completa los espacios con los conceptos ilustrados por los dibujos. Luego ordena las letras de las casillas grises y obtendrás la única parte del equipamiento que falta.

Solución: ....

Las armas de un caballero

Es evidente que un caballero necesitaba
armas. En tiempos de paz solía utilizar el
arco y la flecha o la ballesta para ir de caza.
A menudo llevaba consigo un puñal o una
espada. Pero cuando se iba a la guerra, además de las mencionadas, llevaba otras armas.
A continuación se presentan las diversas
armas de los caballeros:

Caballero con armadura y armas

Armas blancas

Las armas blancas son todas aquellas que están hechas total o parcialmente
de metal pulido. Entre ellas se encuentran los puñales, las espadas y también
las espadas de duelo. La preferida de los caballeros era sin duda la espada
(prohibida para la gente sencilla), que podía llegar a medir hasta 1,20 metros
de largo y que disponía de dos hojas muy afiladas. Se trataba de un arma
mortal. Existen diversos tipos de armas blancas, por ejemplo las armas de
asta o las armas contundentes.

Bien de escudos y blasones...

… pero mal de pantalones: se trata de un refrán de origen español.
Cada caballero poseía un blasón que lo **identificaba** y
que iba pintado sobre su escudo (de aquí que escudo
sea sinónimo de blasón). Era de colores y formas diversos y expresaban el carácter del caballero: una flor
de lis, un oso, un león... Cuando esa época llegó
a la decadencia, muchos terminaron siendo
pobres, quedándoles apenas las memorias de las glorias pasadas.
El refrán expresa la costumbre de aparentar (mediante el blasón,
un símbolo) más de lo que realmente se tiene (los pantalones como
señal de poder adquisitivo real).

Armas de asta

Las armas de asta son todas aquellas que poseen un mango alargado de madera que permite atacar al enemigo a una distancia equivalente al largo de un caballo. Las lanzas, por ejemplo, pertenecen a este tipo de armas. El mango tenía una longitud aproximada de dos metros, y terminaba en una punta metálica. En el campo de batalla se empleaba con una mano o se llevaba debajo de la axila.

¿Sabías que...

... la **alabarda** era el arma de asta utilizada por el pueblo llano? En la actualidad continúa siendo empleada por la Guardia Suiza del Papa, en Roma.

Armas contundentes

Las armas contundentes (también denominadas en conjunto «mazas») se estrellaban contra el enemigo para lastimarlo con la fuerza del impacto. Entre ellas están el martillo y la maza de guerra, así como el mangual o el «lucero del alba», estas últimas demasiado brutales para ser empleadas por los «verdaderos» caballeros.

Sobra una letra

En todos los recuadros hay seis letras diferentes. Sin embargo, en cada uno de ellos hay una letra que se repite una vez más que las demás. Si ordenas bien estas letras, obtendrás el nombre de un arma que no se había inventado todavía en la época de los caballeros.

Solución: ....

Armas arrojadizas

Además del arco y la flecha, la ballesta y la honda, había otras armas arrojadizas que no eran empleadas por el caballero desde su montura, sino por el ejército o incluso por todo el pueblo. Contra los castillos enemigos se utilizaban catapultas y arietes, y durante el asedio a una fortaleza también entraban en acción las torres de asedio. Las armas de fuego se empezaron a fabricar durante el siglo XIV, después de la invención de la pólvora negra.

Un chico dispara con ballesta.

Las armas de los torneos

Los caballeros peleaban en los torneos con espadas y lanzas. A veces se emplea-ban armas auténticas, lo que era muy peligroso. En la mayoría de los torneos se utilizaban armas romas o sin filo, que recibían el nombre de «armas corteses».

Los nombres en la Edad Media

Durante la Edad Media la gente solía llamarse solo con su nombre propio, aunque estos fueran simplemente Godofredo, Rodolfo o Federico. Si pertenecían al pueblo, seguía la profesión; así, Balduino el zapatero o Alfonso el herrero pasaron a ser conocidos como Balduino Zapatero o Alfonso Herrero. Sin embargo, entre los nobles y los caballeros el proceso era distinto. En algunos casos seguía el nombre de su procedencia, es decir, el pueblo, el castillo o el país al que pertenecía la familia. Ese es el origen de los nombres de, por ejemplo, Godofredo de Bouillon, Rodolfo de Habsburgo o Federico de Suabia. Otros recibían apodos que se ajustaban a su carácter o apariencia: Alfonso el Sabio, Juana la Loca u Otto el Jorobado, por ejemplo.

Acertijo

En los recuadros de aquí abajo encontrarás tres apellidos castellanos que se originaron a raíz del nombre de algunas profesiones, y cuyas letras han sido dispuestas de manera sinuosa.

1

S	A	C
S	I	R
T	A	N

2

C	R	I
S	O	B
E	N	A

3

T	E	R
S	E	L
B	A	L

Torrente de torres

¿Puedes identificar
cuántas torres hay?

¿Sabías que...

… la actual **Casa Real Inglesa** recibe su nombre de un lugar llamado Windsor? Está al noroeste de Londres y allí se encuentra un castillo muy famoso: el castillo de Windsor. Se trata de uno de los castillos más grandes y antiguos de todo el mundo. Aunque su construcción se remonta al célebre rey inglés Guillermo el Conquistador, que vivió en la época de los caballeros y gobernó en Inglaterra y parte de Francia, no fue él quien legó a su familia el nombre del conocido castillo, sino los reyes ingleses del siglo XX. Estos, por su parte, descienden de un antiguo linaje de la nobleza alemana: la dinastía Sajonia-Coburgo-Gotha. Como puedes ver, el nombre de esta familia noble se deriva de una región alemana y de algunas de sus ciudades. El actual duque también se llama del mismo modo. Sin embargo, a principios del siglo XX tuvo lugar la Primera Guerra Mundial, en la que el Imperio Alemán se enfrentó a Inglaterra. Con el fin de desmarcarse de los alemanes, la familia real inglesa adoptó el nombre de Windsor en el año 1917.

El castillo de Windsor, con Guillermo el Conquistador

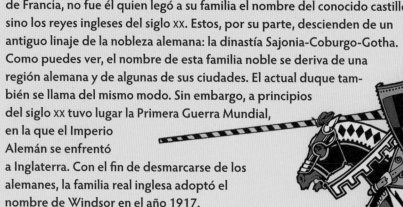

El blasón

El blasón se creó con el fin de distinguir a grandes distancias qué caballero se escondía bajo la armadura, una práctica que en parte perdura hasta nuestros días. Los dibujos y colores de todos los blasones albergan un significado. Con el tiempo, los nobles empezaron a utilizar un blasón que simbolizaba el origen y la historia de su familia. ¿Que el fundador del clan había matado a un oso, por ejemplo? Entonces tal vez este animal pasaría a formar parte del blasón. ¿Era el progenitor un excelente cazador, que empleaba aves para ello? Entonces en su escudo aparecía un águila o un halcón. Algunos caballeros elegían diversos animales para sus blasones por sus características, porque ellos también las compartían o por lo menos para que la gente pensara que así era. Ricardo Corazón de León, el célebre rey inglés, lucía tres leopardos en su blasón. Por cierto, la disciplina que estudia los diferentes blasones y sus significados se denomina «heráldica».

Este era el blasón del rey Ricardo Corazón de León.

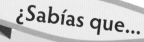

¿Sabías que...

... antaño los **blasones** también se llevaban en otros sitios, como, por ejemplo, grabados en los **anillos**? Antiguamente los anillos también se empleaban para sellar las cartas, presionándose para ello contra un poco de cera caliente. Pregúntale a tus padres o abuelos si tu familia posee un blasón y si todavía lo conserva.

Los colores del blasón

Los colores del blasón tenían una gran importancia:

El azul simbolizaba honestidad y fidelidad.

El negro simbolizaba fortaleza y aflicción.

El dorado simbolizaba riqueza y prestigio.

El verde simbolizaba libertad y alegría.

El rojo simbolizaba fuerza y valor.

El plateado simbolizaba pureza y sabiduría.

Heráldica para principiantes

En este ejemplo puedes observar el desarrollo de un blasón a lo largo de los años:

1 2 3 4

1. Este es el blasón del señor de un castillo.
2. Su hija se casa con un hombre que posee este blasón.
3. Después de la boda, la hija recibe un blasón dividido, que expone el blasón de su padre y el de su marido.
4. El nieto posee un blasón divido en cuatro, como indicativo de la unión de las dos familias.

Acertijo

Gracias al blasón es posible identificar a los caballeros aunque vistan la armadura completa. Dos de estos blasones son idénticos, ¿cuáles son?

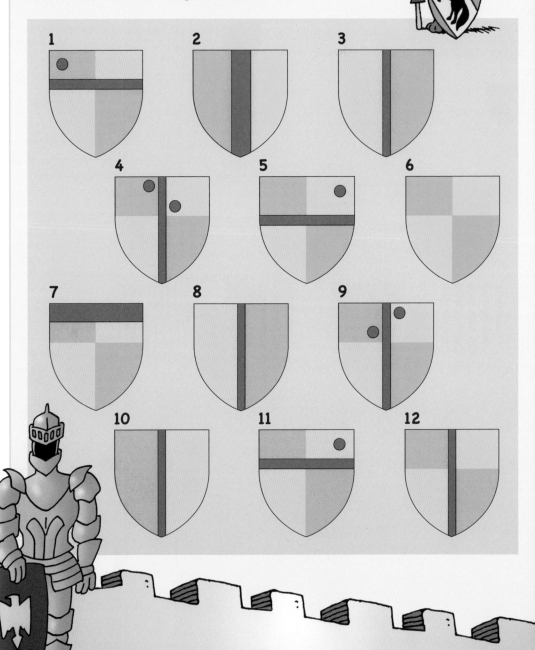

Las Cruzadas

El Papa Urbano II convocó la Primera Cruzada en la ciudad francesa de Clermont. El plan consistía en liberar los lugares sagrados del cristianismo (en especial Jerusalén) de las manos de los musulmanes y reconquistarlos. La Ciudad Santa había caído en manos del islam hacía casi 25 años, y este hecho dificultaba el acceso de los peregrinos cristianos a los lugares sagrados. Pero la cosa no quedó ahí: hasta el siglo XIII los caballeros europeos realizaron varias incursiones (llamadas Cruzadas) hacia Tierra Santa, luchando por obtener cada vez más poder e influencia.

Importante

Las **Cruzadas** fueron guerras religiosas capitaneadas por los cristianos europeos. Los caballeros cruzados creían que actuaban según los designios de Dios, como se deja entrever en su lema: *Deus lo vult*, que significa «Dios así lo quiere».

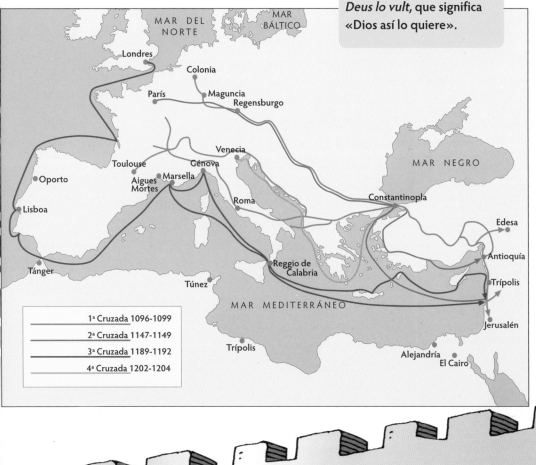

MAR DEL NORTE

MAR BÁLTICO

Londres

Colonia

París

Maguncia
Regensburgo

Venecia

MAR NEGRO

Toulouse

Génova

Oporto

Aigues
Mortes

Marsella

Roma

Constantinopla

Lisboa

Edesa

Antioquía

Tánger

Reggio de
Calabria

Trípolis

Túnez

MAR MEDITERRÁNEO

Jerusalén

1ª Cruzada 1096-1099

Trípolis

2ª Cruzada 1147-1149

3ª Cruzada 1189-1192

Alejandría

El Cairo

4ª Cruzada 1202-1204

1ª Cruzada (1096-1099): masacre en nombre de Dios

Después de la convocatoria del Papa Urbano, mensajeros papales y predicadores se dedicaron a reclutar gente para reconquistar Tierra Santa. Finalmente, unas 50.000 personas emprendieron el camino hacía allí.

El Papa Urbano II convocó la Primera Cruzada el 27 de noviembre de 1095.

Después de varios intentos fallidos de reconquista, en el año 1099 llegaba el primer ejército de caballeros cristianos a las puertas de la santa ciudad de Jerusalén. Tras varias batallas sangrientas, los guerreros de Cristo tomaron la ciudad por asalto en julio de aquel año y la saquearon completamente. Esta carnicería, que poco tenía que ver con el cristianismo, dejaba ver con claridad que los motivos reales de la Cruzada no eran solamente mantener el control de la Tierra Santa, sino también la destrucción del poder de los musulmanes y el enriquecimiento propio.

Tras la reconquista de Jerusalén, la media luna árabe se sustituyó por la cruz cristiana. Los nuevos ocupantes decretaron el reino cristiano de Jerusalén, que fue constituido como el modelo feudal que imperaba en Francia, y que estaba formado, además de Jerusalén, por los «Estados Cruzados» (Antioquía, Edesa y Trípoli).

Godofredo de Bouillon (a la derecha)

Godofredo de Bouillon

Godofredo de Bouillon fue uno de los grandes caballeros que lideraron la Primera Cruzada. También fue el primer gobernador de la ciudad reconquistada de Jerusalén. Se llamaba a sí mismo «protector del Santo Sepulcro» (es decir, de la tumba de Jesucristo).

Rueda de letras

Bouillon no solo es el apellido de Godofredo. Esta palabra tiene otro significado en francés. En cada una de las casillas encontrarás una letra. Comienza por la casilla de arriba a la izquierda y continúa en sentido horario. La palabra encontrada ha de ser en plural.

Solución: ....

Iglesia de Santa Ana, en Jerusalén

2ª Cruzada (1147-1149): la gran derrota

La Segunda Cruzada se produjo después de la invasión musulmana de Edesa, aunque la meta real (es decir, la reconquista de Edesa) pronto se abandonó. En lugar de ello, los cruzados decidieron tomar la rica ciudad de Damasco, lo que pronto se revelaría como un gran error.

3ª Cruzada (1189-1192): armisticio con Saladino

Los musulmanes, dirigidos por el sultán Saladino, consiguieron reocupar Jerusalén en el año 1187. Esto motivó la formación de un nuevo ejército cruzado, numeroso y bien armado, que a finales del siglo XII emprendió el camino hacia Tierra Santa guiado por el emperador Federico I Barbarroja. Pero este murió ahogado en Asia Menor en 1190, quedando el mando del ejército de los caballeros cruzados

Barbarroja se despide antes de partir a la Cruzada.

cristianos a cargo del rey de Inglaterra, Ricardo I Corazón de León, y del rey de Francia, Felipe II.

A pesar de todo, la reconquista de Jerusalén fracasó. En lugar de ello se decretó un armisticio con Saladino, que aseguraba poder visitar Jerusalén sin peligro para los peregrinos pacíficos.

Federico I Barbarroja (1122-1190)

Federico descendía del linaje de los Hohenstaufen y era el emperador del Sacro Imperio Romano Germánico. Su sobrenombre lo obtuvo debido al color de su rojiza barba. En su momento fue el hombre más poderoso de Europa. Pero, de camino a Tierra Santa, se ahogó en las aguas del río Saleph, en la actual Turquía.

El rey Ricardo I Corazón de León luchando contra el sultán Saladino.

Ricardo I Corazón de León (1157-1199)

Ricardo I Corazón de León, rey de Inglaterra, pasó la mayor parte de su vida participando en Cruzadas y viajando por diversos países europeos. Era hijo de Eleonora de Aquitania, de quien heredó numerosas tierras en Francia que lo convirtieron en uno de los monarcas más influyentes y poderosos de toda Europa.

Saladino el unificador del islam (1138-1193)

Del lado árabe, el sultán Saladino acaudilló la lucha durante el siglo XII. Los musulmanes lo consideran un héroe pues, según las crónicas, fue un monarca ejemplar y un digno rival de los caballeros cruzados. Se cree que Ricardo I Corazón de León y Saladino sentían un profundo respeto el uno por el otro.

Nota

Todavía hoy en Europa y el Cercano Oriente se pueden admirar diversas **construcciones** que datan de la época de las Cruzadas. Por ejemplo, en Siria existe un imponente castillo construido por los caballeros de la Orden de Malta, el Crac de los Caballeros. *Crac* es una palabra siria que significa «fortaleza».

El Crac de los Caballeros, en Siria

4ª Cruzada (1202-1204): la conquista de Constantinopla

La Cuarta Cruzada (convocada por el Papa Inocencio III) tenía como meta la ocupación de Egipto y la reconquista de Jerusalén, pero los caballeros cruzados solo llegaron hasta Constantinopla. La metrópolis junto al Bósforo, de religión cristiana ortodoxa, fue conquistada y saqueada en el año 1204.

Importante

El **Papa Inocencio III** fue uno de los papas más importantes de toda la Edad Media. Su nombre procede del latín y significa «el inocente».

Las últimas Cruzadas

La Guerra Santa continuó y llegó a su fin en el siglo XIII. En total hubo siete grandes Cruzadas y otros intentos de conquista más modestos. Incluso se llevó a cabo una Cruzada de los Niños (1212), en la que miles de niños procedentes de Francia y Alemania partieron hacia Tierra Santa. Muchos murieron durante el penoso camino, aunque hoy en día aún se debate si realmente esto sucedió.

Elizabeth de Turingia se despide de su esposo, Luis de Turingia, antes de partir a la Cruzada.

Luis IX el Santo, rey de Francia, emprendió la séptima y última tentativa de recuperar Tierra Santa. Pero también él fracasó y murió en la empresa. Así concluyó para siempre la época de las Cruzadas.

¿Ves las diferencias?

Estas dos fotos del castillo de Meersburg, a orillas del lago Constanza
parecen idénticas a primera vista. Sin embargo, hay diez pequeñas
diferencias entre las dos. ¿Podrás descubrirlas todas?

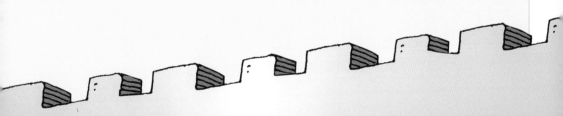

Órdenes de caballería

El viaje a Tierra Santa era difícil, largo y peligroso, así que los peregrinos que se dirigían hacía allí necesitaban protección. Las órdenes de caballería y los caballeros cruzados asumieron esa función. Crearon los hospitales (cuyo nombre se deriva de «hospitalidad») y protegieron los lugares sagrados de los musulmanes. Había diversas órdenes, entre las más conocidas la Orden Templaria, la Orden de Malta y la Orden Teutónica.

Un caballero de la Orden de los Templarios

La Orden de los Templarios

Fue la orden más célebre. Su nombre completo era «Orden de los Pobres Caballeros de Cristo y del Templo de Salomón en Jerusalén». Sus miembros eran monjes y soldados. Su primer Gran Maestre (o jefe) fue el francés Hugo de Payens, que participó en la Primera Cruzada. La orden fue adquiriendo poder hasta que en el siglo XIV el Papa Clemente V y el rey francés Felipe el Hermoso se sintieron amenazados por ella. Jacques de Molay, el Gran Maestre, fue apresado y ejecutado. La orden se disolvió a la fuerza y sus pertenencias pasaron a la de Malta.

Importante

El noble francés **Hugo de Payens** fundó la Orden de los Templarios a principios del siglo XII. Su función era proteger a los peregrinos que deseaban visitar Jerusalén.

La Orden de Malta

La Orden de Malta («Soberana Orden de San Juan de Jerusalén, Rodas y Malta» es su nombre completo) es la orden religiosa de caballería más antigua. Aún existe, y sus miembros continúan cuidando a los débiles y a los enfermos.

Cruz templaria

Cruz de Malta (o de San Juan)

Puerta principal del Palacio del Gran Maestre, en Rodas

La Orden de Malta en Rodas

La isla mediterránea de Rodas (Grecia) constituyó un importante punto estratégico para la orden. Desde allí dirigía su Gran Maestre. Todavía hoy se puede admirar en la ciudad de Rodas el Palacio del Gran Maestre. A su alrededor se agrupan diversas casas, cada una perteneciente a las distintas nacionalidades de los miembros de la orden. Los caballeros de Malta llamaban a esto «la unión de las lenguas», refiriéndose a los diversos idiomas que hablaban.

La Orden Teutónica

Cruz de la Orden Teutónica

La Orden Teutónica también se constituyó en la época de las Cruzadas. Su nombre completo es «Orden de los Caballeros Teutónicos del Hospital de Santa María en Jerusalén». Sus miembros fundaron hospitales en Tierra Santa y protegieron a los peregrinos. Sin embargo, después de ser reconocidos como una orden de caballería religiosa, se dedicaron sobre todo a la colonización de la Europa del este. Incluso llegaron a fundar su propio país, que se llamó «Estado Monástico de la Orden Teutónica».

Los caballeros teutónicos conquistaron poco a poco un territorio muy extenso, que a finales del siglo XIV ocupaba un área equivalente a casi la mitad de España.

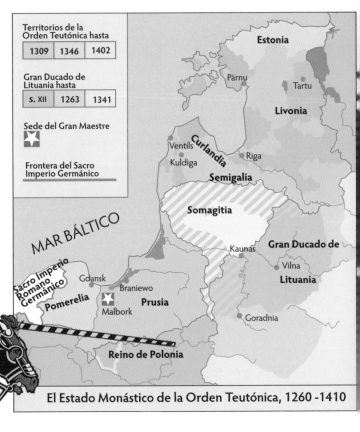

Territorios de la Orden Teutónica hasta		
1309	1346	1402

Gran Ducado de Lituania hasta		
s. XII	1263	1341

Sede del Gran Maestre

Frontera del Sacro Imperio Germánico

Estonia
Pärnu
Tartu
Livonia
Curlandia
Ventils
Riga
Kuldiga
Semigalia
Somagitia
MAR BÁLTICO
Kaunas
Gran Ducado de
Vilna
Lituania
Sacro Imperio Romano Germánico
Gdansk
Braniewo
Prusia
Pomerelia
Malbork
Goradnia
Reino de Polonia

El Estado Monástico de la Orden Teutónica, 1260 -1410

Winrich von Kniprode

Winrich von Kniprode

Winrich von Kniprode fue el Gran Maestre más conocido de la Orden Teutónica, una labor que ejerció entre 1351 y 1382. El Estado Teutónico alcanzó su máximo esplendor durante este período, gracias a la amplificación de las rutas comerciales, la fundación de nuevas escuelas y una exitosa disputa contra Lituania.

Basílica de San Marcos en Venecia, con la Cuadriga Triunfal

¿Sabías que...

… **Venecia** era uno de los puertos más importantes para los cruzados? Desde esta ciudad independiente, que era regida por los dogos (líderes que eran elegidos y no heredaban el cargo), partían varios barcos de mercancías cada día. Aquí era posible ganar una fortuna con los objetos saqueados durante las Cruzadas. Como las relaciones entre Venecia y Constantinopla se habían deteriorado, la ciudad de las góndolas organizó la Cuarta Cruzada contra la metrópolis del Bósforo, que terminó siendo arrasada por los cruzados. Numerosos tesoros artísticos fueron robados y transportados hasta Venecia, donde todavía hoy se pueden admirar. Si algún día viajas a Venecia, observa la célebre «Cuadriga Triunfal» con sus cuatro caballos: en realidad pertenecía a Constantinopla.

Letras cambiadas

Alguien ha desordenado algunas de estas letras. ¿Cuáles son las palabras correctas?

DURAMARA

SOFO DEL CALLOSTI

DAZUCAR

RÍABELLACA DEPASA

DEDA DEMIA

TACO DE LLAMA

SABLÓN Y SUDOCE

DONER MALAPRIET

LAPORDAZESA

SAMAR CLABANS

Los mongoles

No pienses que los caballeros cruzados solo combatieron en Tierra Santa. Se vieron obligados a poner a prueba sus habilidades en numerosas luchas, tanto pequeñas como grandes. Las hordas de la caballería mongola, procedentes del este, se internaban cada vez más en los territorios del oeste para robar y saquear. Así, en el año 1241 se produjo la Batalla de Liegnitz (en la actual Polonia), en la que una alianza polaco-alemana formada por caballeros malteses, templarios y teutónicos peleó contra los mongoles. El futuro de Europa estaba en juego, y los mongoles ganaron de forma aplastante.

Típico atuendo de un kan mongol

El ataque de los mongoles

Los mongoles lucharon bajo la dirección de Batu Khan, el jefe del llamado «Imperio de la Horda de Oro». Nadie sabe qué hubiera ocurrido en Europa si Ogodei Khan, hijo de Gengis Khan y Gran Kan de los mongoles, no se hubiera encontrado en ese momento al borde de la muerte en Mongolia. Batu se vio obligado a retornar a su patria justo después de la batalla para ser elegido como el nuevo Gran Kan al morir su padre. De ese modo, a pesar de la derrota, la amenaza que venía del oriente se desvaneció.

El castillo

La función principal de los castillos era salvaguardar a sus habitantes en caso de ataques enemigos. Desde las torres de defensa o torreones se podía observar al enemigo a una gran distancia, lo que dejaba suficiente tiempo como para subir el puente levadizo de modo que nadie pudiera atravesar el foso.

Aspillera

Adarve

Torreón

Puerta del castillo

Puente levadizo

Foso del castillo

Soldados de guardia

Torre del homenaje

Muralla del castillo

Señor del castillo

Bufón

Dama del castillo

Tipos de castillos

Existen diversos tipos de castillos, que se pueden clasificar, por ejemplo, según dónde estén edificados. La mayoría de los castillos se encuentra en lo alto de una montaña o junto a ella, de modo que se pueden ver a grandes distancias. Sin embargo, otros se han construido sobre terreno llano.

Un castillo elevado: el castillo Werenwag, en el valle del Danubio superior

Un castillo junto al agua: el Eilean Donan Castle, en Escocia

Algunos castillos fueron levantados en una isla, otros están rodeados de agua por todas partes y cuentan con un foso natural o artificial. Los castillos también se diferencian según para quién fueron construidos. El castillo de un rey se denomina «castillo real». También las órdenes de caballería tenían sus propios tipos de castillos.

Algunos castillos incluso recibían el nombre del uso que se les daba, como el «castillo de sitio». Estos castillos se construían en las cercanías de otro castillo preexistente con el fin de sitiarlo (cerrar todas sus salidas para forzarlo a rendirse).

El Castel del Monte, en Andria (Italia) es un castillo de defensa. Se cree que a Federico II le gustaba residir allí.

Por supuesto, también existían los castillos de defensa.

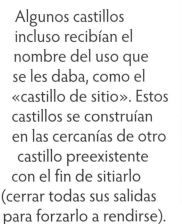

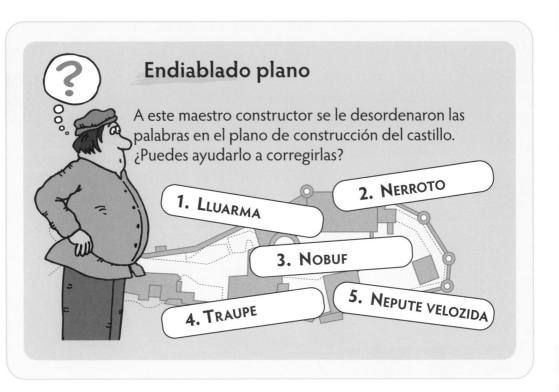

Endiablado plano

A este maestro constructor se le desordenaron las palabras en el plano de construcción del castillo. ¿Puedes ayudarlo a corregirlas?

1. LLUARMA

2. NERROTO

3. NOBUF

4. TRAUPE

5. NEPUTE VELOZIDA

Muro de un castillo con aspilleras

La construcción de un castillo

Para construir un castillo hacían falta buenos carpinteros y gente que tuviera conocimientos sobre materiales de construcción y estructuras. Si además se empleaban piedras, había que añadir una cantera. Los maestros constructores de hoy en día se llaman arquitectos.

La zona exterior

El castillo estaba rodeado por una muralla reforzada con torres de defensa. Su interior lo atravesaba una plataforma o adarve, que los guardias recorrían en sus rondas, alertas ante la aparición del enemigo. La muralla ofrecía huecos de defensa. Por los más estrechos, las aspilleras, se disparaban flechas, y por los orificios de las estructuras voladizas o matacanes se lanzaban piedras o brea caliente contra el enemigo. Si el castillo estaba protegido por un foso, solo se podía entrar en él cuando el puente levadizo no se hallaba elevado (como solía estarlo en caso de peligro). Frente a la puerta del castillo se podía dejar caer

La ciudad fortificada de Carcasona, en Francia

con rapidez una pesada reja, llamada rastrillo, que podía fabricarse de madera o bien de hierro.

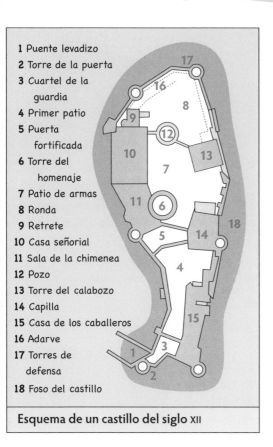

1 Puente levadizo
2 Torre de la puerta
3 Cuartel de la guardia
4 Primer patio
5 Puerta fortificada
6 Torre del homenaje
7 Patio de armas
8 Ronda
9 Retrete
10 Casa señorial
11 Sala de la chimenea
12 Pozo
13 Torre del calabozo
14 Capilla
15 Casa de los caballeros
16 Adarve
17 Torres de defensa
18 Foso del castillo

Esquema de un castillo del siglo XII

Primer patio

El espacio comprendido entre la puerta del castillo y el castillo principal era el primer patio. Aquí se desarrollaba la vida cotidiana, estaban los talleres y los establos y trabajaban los siervos (criados y doncellas). El primer patio era como un pueblo dentro del castillo. Para entrar en el castillo principal había que atravesar la puerta fortificada. Aquí se localizaban la torre del homenaje, la casa señorial, la sala de la chimenea, la armería, el pozo y una torre con un calabozo.

Ronda

En los castillos más grandes había una muralla exterior y una interior. El espacio entre las dos murallas se denomina ronda. Si se podía apresar a los invasores ahí, estos quedaban expuestos a las flechas procedentes del castillo.

Torre del homenaje

La torre del homenaje era la torre más alta del castillo. Constituía la última defensa y solo poseía una puerta de entrada, que no se encontraba al nivel del suelo sino en el primer piso, sin escalones. Para entrar en ella hacía falta una escalera portátil, que podía destruirse en caso de emergencia.

¿Sabías que...

... la **Torre de Londres** fue construida por Guillermo I el Normando, conocido como Guillermo el Conquistador? En el año 1066 derrotó a los anglosajones y se coronó rey de Inglaterra. Al pasar los años se fueron añadiendo a la torre más edificios. Una muralla exterior muy firme, rodeada por un foso, la protege. Durante varios siglos fue la residencia de los reyes de Inglaterra, a modo de palacio real, pero al mismo tiempo hacía las veces de prisión estatal y armería. Además, aquí se guardaban las joyas de la corona. En la parte más antigua de la Torre de Londres, la «Torre Blanca», hoy en día hay un museo de armas.

El castillo principal

La capilla constituía el centro espiritual del castillo. Allí la gente rezaba, guardaba luto o se casaba. La casa señorial era el edificio habitable del castillo, con una sala de recepción y la sala de la chimenea. Este habitáculo era el único del castillo que contaba con calefacción, y estaba destinado a la familia señorial, en especial a las mujeres. En el castillo principal

La sala de la chimenea

también se guardaban las armas, puestas a buen resguardo en la armería. Por supuesto, en el castillo había una cocina, donde se preparaban las comidas para el señor, su familia y sus huéspedes. Los suelos, que eran de piedra o tierra, se cubrían con paja durante el invierno, debido a que los animales solían dormir en las mismas estancias que las personas.

El retrete

El voladizo del retrete

En aquella época no existían los modernos servicios que hoy conocemos. La gente hacía sus necesidades de noche en un orinal, mientras que durante el día iban al retrete. Los retretes se encontraban en una estructura voladiza y consistían en una plancha de madera con un agujero.

Castillo de números

Rellena las casillas con los números correctos.
4 cifras: ~~2491~~ – ~~5127~~
6 cifras: 262742 – 421796
9 cifras: 236592764 – 257893476 – 799731587

Orden de Caballería del Caos

Algunos caballeros han dejado sus espadas tiradas en cualquier parte. Averigua de cuántas espadas estamos hablando. Además, en este castillo hay algunas letras que, cuando se colocan en el orden adecuado, forman una palabra.

HEPNAECS

La vida en un castillo

En la actualidad existe la tendencia a presentar la época medieval mucho más atractiva de lo que realmente era. La vida entonces era muy dura. Por ejemplo, la sala de la chimenea era el único cuarto cálido en un castillo. En las demás estancias soplaba el viento por las grietas en la piedra, pues todavía no existían las ventanas de cristal.

Nota

No creas que todos los **caballeros** vivían en un castillo. En realidad eran muy pocos los que podían permitirse el elevado precio de un castillo o de una hacienda. La mayoría habitaba junto a los campesinos, en los pueblos. Solo los caballeros más ricos vivían en castillos.

La mayoría de la gente dormía en el suelo. Y aunque el señor feudal sí poseía una cama, protegida del viento mediante pesadas cortinas, no descansaba solo, ya que durante el invierno los miembros de la familia dormían juntos con el fin de calentarse los unos a los otros. Los ratones, las ratas y los piojos campaban a placer. La gente se bañaba muy de vez en cuando, pues el agua y la madera de quemar para calentarla eran muy caras. Las casas se iluminaban con trozos de madera untados con brea.

Los cuidados corporales

Si pudieras retroceder en el tiempo y visitar la época de los caballeros, te sorprenderían los malos olores que había por todos lados. La ducha diaria o lavarse y cepillarse los dientes dos veces al día: ninguna de estas costumbres existía. El agua era muy valiosa, y se pensaba que la limpieza excesiva era innecesaria. La basura se tiraba frente a la puerta de casa, y aquellos que no poseían una letrina hacían sus necesidades allí donde les venían las ganas.

La salud

Como la gente no se limpiaba a menudo, solía enfermar y por lo general moría a temprana

Una rareza: la oportunidad de darse un baño

edad. En la época de los caballeros había muy pocos ancianos; en el siglo XIV, por ejemplo, la esperanza de vida rondaba los 35 años. Por supuesto, la perspectiva de alcanzar la vejez dependía en gran medida de la familia en la que se nacía, la de campesino o la de noble, pero ni siquiera los reyes acostumbraban superar los 50 años. A veces las mujeres morían justo después de dar a luz. Muchos niños estaban desnutridos o mal alimentados, y morían a causa de enfermedades que hoy en día se curan con facilidad.

Enfermedades de la Edad Media

Durante la Edad Media se pensaba que los malos olores eran la causa principal de las enfermedades. La más temida de todas en esa época fue sin duda la peste bubónica, también llamada «peste negra». Una epidemia de esta temible dolencia causó la muerte de unos 25 millones de personas en Europa entre los años 1347 y 1352-1353. La insalubridad permitía que las enfermedades contagiosas como la peste se expandieran a gran velocidad. Otra enfermedad que asoló a la población durante la Edad Media fue el tifus. Actualmente existe una vacuna contra ella.

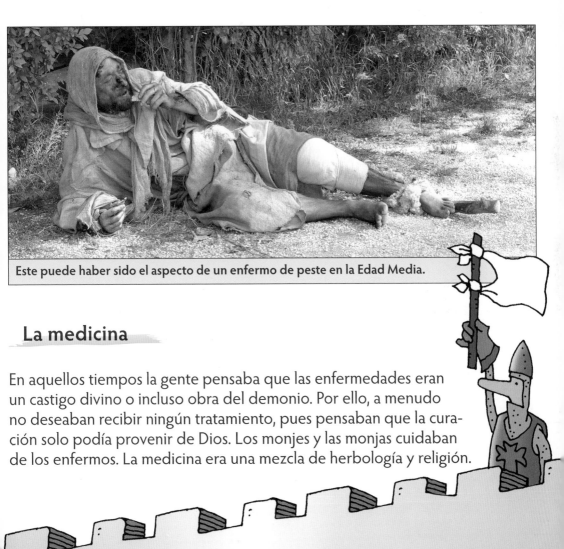

Este puede haber sido el aspecto de un enfermo de peste en la Edad Media.

La medicina

En aquellos tiempos la gente pensaba que las enfermedades eran un castigo divino o incluso obra del demonio. Por ello, a menudo no deseaban recibir ningún tratamiento, pues pensaban que la curación solo podía provenir de Dios. Los monjes y las monjas cuidaban de los enfermos. La medicina era una mezcla de herbología y religión.

Sopa de letras

AGUACATE - ARROZ - KIWI -
BANANA - BONIATO - CACAO -
CAFÉ - MAÍZ - NARANJA -
PATATA - PIMIENTO - TOMATE

En este acertijo se esconden varios alimentos que no se conocían durante la época de los caballeros. ¿Eres capaz de encontrarlos? Los conceptos pueden estar en sentido horizontal, vertical o diagonal, al derecho o al revés.

Comer y beber

En la época de los caballeros no existían muchos de los alimentos que hoy forman parte de nuestra dieta cotidiana. La comida era más monótona, sobre todo en invierno. Por lo general, para comer había pan, huevos, leche, queso y diversas papillas, elaboradas con guisantes, mijo o avena. La carne solo podían permitírsela las personas más adineradas. Los campesinos pobres pasaban semanas sin ver un trozo de carne en el plato.

Nota

¿Sabes por qué durante esta época no existían muchos de tus **alimentos** preferidos? Porque provienen de países lejanos. Fueron los grandes descubridores quienes los importaron a Europa muchos años después.

Verduras

En general se comían muy pocas verduras, tales como puerro, guisantes, lentejas, judías, col, zanahorias, apio e hinojo. Sin embargo, el menú también incorporaba los pepinos, la remolacha, la lechuga y la espinaca. La cebolla era muy apreciada tanto como verdura o como condimento, y se utilizaba en casi todos los platos. También se comían el diente de león, la acedera y el canónigo.

Carne

La carne que se consumía con mayor frecuencia era la de cerdo, ternera y oveja, así como la de diversas aves (gansos, patos, perdices y gallinetas). Sin embargo, también se comía la carne de castores, osos, marmotas, ciervos y conejos, capturados durante las cacerías.

Frutas y frutos secos

Las frutas también se conocían: manzanas y peras, uvas y ciruelas, las bayas del saúco y las moras, así como las almendras y las avellanas eran muy estimadas. Para endulzar se empleaba la miel.

Bebidas

La principal bebida era el agua proveniente de los pozos. Además había leche, zumo de uva, bayas o manzana, vino y, por supuesto, cerveza. ¡Incluso los niños solían beberla! Sin embargo, su contenido de alcohol era muy inferior al actual.

Importante

En aquella época no había nada parecido a una moderna **nevera**. Sin embargo, en los castillos era necesario almacenar comida. Para evitar que se echaran a perder, muchos alimentos se ahumaban, se secaban o se conservaban en sal o grasa. Además, siempre era posible guardarlos en el sótano, una habitación que se mantenía fresca durante casi todo el año.

Recetas medievales

Cacerola medieval de col

(para dos personas)

Necesitarás:

1 col blanca pequeña

50 ml de caldo de
verduras

1 diente de ajo

1 cebolla

400 g de carne picada

250 g de nata agria

Sal, pimienta y aceite

Ralla la col en tiras finas, mézclalas con el caldo de verduras y pon todo a hervir a fuego lento hasta que la col se ablande. Pica el ajo y la cebolla en dados pequeños. Sofríelos con un poco de aceite. Añade la carne picada y ásala hasta que se desmenuce con facilidad. Salpimienta al gusto. Incorpora la col y pon a hervir a fuego lento durante unos 10 minutos. Agrega la nata agria y corrige el sabor con sal y pimienta. Sabe delicioso con pan. Aunque también resulta muy apetitoso con patatas, los caballeros nunca conocieron este tubérculo.

Huevos dulces

(para dos personas)

Necesitarás:

4 huevos

4 cucharadas de miel

Un poco de mantequilla

Separa las yemas de las claras y bate las yemas hasta que estén bien cremosas. A continuación lleva las claras a punto de nieve e incorpóralas con cuidado a las yemas batidas. Si quieres hacerlo según el verdadero estilo caballeresco, no utilices ningún artefacto eléctrico, ¡emplea la mano para batir! En una sartén pequeña, derrite la mantequilla a fuego lento y luego añade los huevos. Remueve con regularidad hasta que estén bien hechos. Sírvelos en dos platos y úntalos con miel. ¡Buen provecho!

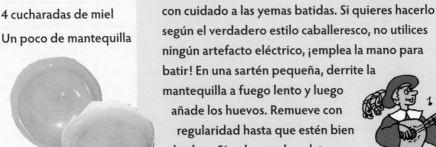

Fiestas

Durante los tiempos de paz, en los castillos se celebraban fiestas y banquetes por todo lo alto donde se acogía a invitados procedentes de todos los rincones del imperio. Entonces se celebraban justas o torneos de trovadores y se comía y bebía mucho. La sociedad medieval de la nobleza y los caballeros lucían sus mejores galas y se vestían con ropajes de brillantes colores.

Modales

Cuando las mujeres todavía no eran admitidas en la mesa, los hombres no se andaban con demasiadas sutilezas. Comían y bebían en exceso, entre eructos y pedos. Pero a partir del siglo XII la presencia de las mujeres en los banquetes empezó a hacerse usual, lo que cambió esta conducta. Los caballeros exhibían los mejores modales ante las damas. Incluso había reglas de conducta que siguen vigentes hoy en día.

¡Buen provecho!

¿Qué preparará hoy el cocinero del castillo? Completa las casillas con los conceptos ilustrados por los dibujos. Obtendrás la solución con las letras de las casillas grises, aunque para ello deberás ordenar las letras.

Solución:

....

¿Sabías que...

He aquí unas cuantas **reglas de conducta** de esta época:
- Reza antes de comer.
- Lávate las manos antes de cada comida.
- Espera a que los demás empiecen a comer antes de dar el primer bocado.
- No hables ni bebas con la boca llena.
- No hagas ruidos al comer, ni eructes, ni te limpies la nariz con el mantel.
- No te escarbes los dientes en la mesa.

¿Sabías que...

... la costumbre de **brindar con copas** procede de la Edad Media? Se cree que, dado que en aquella época era difícil diferenciar los amigos de los enemigos, había que contar con la posibilidad real de ser asesinado en cualquier momento. El brindis habría surgido cuando el señor feudal recibía invitados, les ofrecía bebidas y golpeaba su vaso contra el suyo con tanta fuerza que el líquido se derramaba y el contenido de los vasos se mezclaba. Si su copa hubiera llevado veneno, este se encontraba después del brindis en todas las copas, incluida la del asesino. Brindar era una manera de obtener confianza.

Disponer asientos

Cuando se celebraba una fiesta, la disposición de los invitados en la mesa seguía reglas fijas. El señor se sentaba en el extremo superior de su pesada mesa de madera, y a su alrededor los invitados de honor y su familia. El resto tomaba asiento en bancos de madera junto a la pared. Siempre había demasiado para comer, pues una larga lista de platos era una señal de opulencia del caballero.

Quitar la mesa

Si alguna vez ayudaste en la renovación de un apartamento vacío, tal vez ya te puedas imaginar de dónde procede esta expresión. En esta situación a menudo se emplea la mesa de empapelar para comer. Después de comer se vuelve a desarmar, si no hace falta para empapelar, pues de otro modo ocupa demasiado espacio. Antiguamente siempre se procedía de esa manera, pues la mesa no constituía un elemento fijo de la decoración. Si se quería comer, simplemente se colocaban planchas de madera sobre dos patas y la mesa de comer estaba lista. Después de la comida «se quitaba la mesa» y se guardaban las planchas de madera y las patas.

Antes y ahora

Fíjate en la mesa de un banquete: antes de empezar a comer ya se colocan varios platos y diversos tipos de cubiertos, copas diferentes para el vino y el agua y servilletas en cada sitio. Se dispone una decoración atractiva. En la Edad Media nada de esto era así. Unas rebanadas de pan tostadas a propósito para la ocasión solían hacer las veces de plato. Se comía con las manos, más un cuchillo o una cuchara ¡que por lo general cada invitado tenía que traer! Los siervos atendían al señor y a sus invitados. Durante las fiestas se bailaba y tocaba música muy alegremente.

¿Ves las diferencias?

Todavía existen algunos a los que les resulta imposible someterse a los modales en la mesa.

Existen ocho diferencias entre estas dos imágenes. ¿Eres capaz de encontrarlas?

Los habitantes del castillo

El señor o conde de un castillo no siempre
podía o quería vivir y gobernar en su castillo.
Además, a menudo el rey le concedía varias
tierras. Sin embargo, como tampoco podía
dejar el castillo y los territorios circundan-
tes sin vigilancia, el señor nombraba un
alcalde, quien por lo general también
era de procedencia noble y gobernaba en nombre de su señor.

Sudoku de caballeros

Dentro de las casillas del sudoku se
debe colocar a tres caballeros, dos
bufones, dos damas y un guardia.
Recuerda que no
debe haber dos figu-
ras iguales ni en las filas ni en las
columnas. Para resolver el acertijo,
escribe en cada casilla la inicial
de la figura.

El bufón

En los castillos más grandes había comediantes a los que se llamaba bufones. Su función era distraer al señor y mantenerlo de buen humor. Al bufón se lo reconocía con facilidad gracias a su ropa, muy colorida. Solía llevar una capucha con muchos cascabeles, así como un *marotte*, es decir, una figura con la forma de la cabeza de un bufón insertada en una vara. Con su *marotte* en la mano, el bufón parecía la caricatura de un rey desquiciado con su cetro. Los bufones gozaban de un privilegio especial, «la libertad del bufón», que les permitía decir lo que pensaban o hacer chistes de sus señores sin que por ello hubieran de recibir castigos. En algunas ciudades incluso había bufones oficiales, que gastaban bromas a los ciudadanos y vivían del dinero que estos tenían en bien darles.

El bufón

Tras de ladrón, bufón

Esta expresión, que se utiliza cuando una persona comete un fechoría y luego pretende hacerse pasar por inocente, pone en evidencia que todo buen bufón debía ser a la vez un buen actor. Muchas veces, la única persona que se atrevía a decir la verdad a los señores y reyes era el bufón. Hubo bufones que llegaron a adquirir mucha importancia en la vida política de la Edad Media, y participaron en guerras, conspiraciones, festejos, ¡y algunos incluso competían en los torneos contra los caballeros!

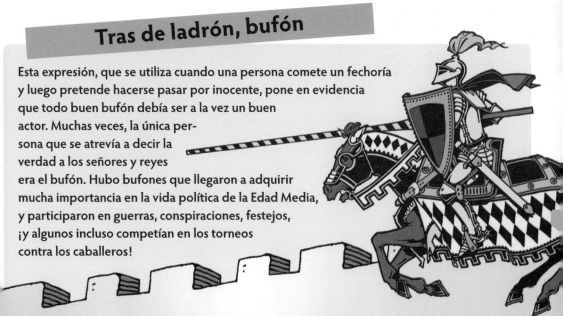

La cocinera y el cocinero

La servidumbre

El señor de un castillo no podía hacerse cargo de todo, y por ello necesitaba a los siervos. Contaba, por ejemplo, con un tesorero y un administrador. Además, en cada castillo había lavanderas e hilanderas.

De todo lo relacionado con la alimentación se encargaban los cocineros y las cocineras. El bodeguero era responsable de los vinos, mientras que la fermentación de la cerveza era asunto del maestro cervecero. Además, existía la figura del copero o *cellarius,* el encargado de servir todas las bebidas. En casi todos los castillos también había palafreneros, un tonelero que fabricaba envases y un herrero. Finalmente, también estaba el letrinero, cuya ingrata función era la de vaciar y limpiar los huecos situados directamente debajo de los retretes.

El herrero

Defensa

Para defender un castillo por lo general bastaba con una pequeña tropa, ¡pero para tomar uno se necesitaba un ejército entero! ¿Quién protegía los castillos? Esto era responsabilidad de los arqueros, los guardias y, por supuesto, los caballeros.

En caso de ataque

Si un ejército enemigo se acercaba al castillo, los guardias ubicados en las torres de vigilancia lo advertían a lo lejos y daban la voz de alarma. Entonces se levantaba el puente levadizo, se dejaba caer el rastrillo y los soldados tomaban sus posiciones detrás de las aspilleras. Los castillos se defendían con arcos y flechas, ballestas y espadas. Si el enemigo conseguía acercarse demasiado, se empleaban también los matacanes.

Para un asedio…

… se precisaba inicialmente maquinaria pesada: **arietes**, catapultas y torres de asedio, para poder tener acceso al castillo.

El tiempo libre de los caballeros

¿Qué hacían los caballeros cuando no participaban en una guerra? Los que pertenecían a una orden monástica recibían tareas organizativas y vivían allí donde la orden estaba en activo. En cambio, otros se quedaban en casa,

Caza con halcón

cobraban los impuestos, impartían justicia y vivían en sus castillos junto a su familia. Mientras las mujeres se ocupaban de las actividades del hogar, los caballeros preferían el aire libre, por lo que salían a cabalgar, a cazar o a participar en algún torneo.

La caza

En aquella época muchos animales salvajes vivían en libertad, y los caballeros se divertían recorriendo los bosques con el fin de cazar osos, águilas, lobos, ciervos o incluso pequeños conejos. Durante la Plena Edad Media, la forma de caza preferida por los caballeros era con halcón. Aunque la cetrería (la caza con aves rapaces) es una actividad mucho más antigua (se cree que la caza con halcón existe desde hace más de 3500 años), hace unos 600 años era muy apreciada por los ricos y los nobles. ¿Cómo se cazaba con aves de presa? Las aves habían sido previamente entrenadas por un cetrero para que atraparan a las presas sin devorarlas.

Nota

En la actualidad, los cetreros (así se llama a los entrenadores de las aves de presa) demuestran lo que sus animales son capaces de hacer en **exhibiciones de aves de presa,** llevadas a cabo por lo general en zoológicos o parques de animales salvajes.

Los animales de caza

Las diversas aves que se empleaban para cazar indicaban con
claridad las diferencias sociales:

El **emperador** era el único autori-
zado para cazar con águila.
El **rey** utilizaba un halcón gerifalte,
el más grande que existe.
El **príncipe** cazaba con la ayuda
de un halcón peregrino.
Los **caballeros** empleaban
los halcones sacres.
Los **escuderos** podían entrenarse
para la cetrería con un halcón
borní.

Importante

Las **damas** sa-
lían a cazar de vez en cuando. Para ello utilizaban las razas más pequeñas de halcón,
como por ejemplo el **esmerejón,**
el halcón europeo más pequeño.

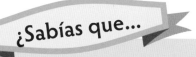

¿Sabías que...

... el **águila** es un animal venerado en muchos países? La «reina del cielo» se desliza por los ai-
res exhibiendo orgullo y majestad. Por ello no sorprende encontrarla en muchos blasones, como

símbolo del valor, la fuerza y la perspicacia. El águila, por
ejemplo, es el símbolo del escudo de Alema-
nia y Austria, y los orígenes de esta tradi-
ción se remontan hasta los tiempos del
Imperio Romano. Precisamente la *aquila*
(un estandarte que llevaba un águila
dorada en la punta) constituía el
emblema más importante de las
legiones romanas. El hecho de
perderla durante la batalla se
consideraba un gran deshonor.

Visita caballeresca

Paula, la dama del castillo, espera una visita caballeresca. ¿Cuál de los caballeros será el llamado a compartir su mesa? ¡Sigue los caminos!

Arturo

Cuniberto

Yago

Juegos: ajedrez

Los caballeros sentían pasión por el ajedrez, un juego donde todo gira alrededor de la estrategia y el poder. Según una leyenda, existía un orgulloso rey indio que pensaba que sus súbditos no tenían ningún valor. Entonces un hombre sabio inventó un juego que iba a demostrarle al rey que, sin su pueblo, se encontraba perdido, pues todos los reyes necesitan al pueblo para defender sus tierras. Además, el

Piezas de ajedrez sobre un tablero

juego debía demostrar que solo triunfan aquellos que piensan con sabiduría y anticipación, una pauta vigente hasta hoy (y no solo en el ajedrez). No se sabe con exactitud cuándo ni dónde se inventó el ajedrez. Según escritos del siglo VI, el juego procede de la India. Otro indicio que apoya esta hipótesis es que el orden de las figuras del ajedrez se corresponde con el del ejército indio. En antiguos y elegantes juegos de ajedrez puede apreciarse, junto al rey, al visir consejero, seguido de elefantes de guerra, caballos, carros armados y, delante de todos, el pueblo de a pie.

Nota

Se cree que el **juego del ajedrez** viajó de la India hasta Persia. En el idioma persa, rey se dice «sha», y la expresión «sha-mat» significa «¡el rey está muerto!».

Evolución

Aunque las figuras y las reglas del juego han variado a lo largo de la prolongada historia del juego (de más de 1500 años) de acuerdo a las circunstancias políticas y culturales del entorno, la idea básica siempre ha sido la misma: un juego de guerra disputado a nivel mental.

Influencias islámicas

Los árabes introdujeron el ajedrez en Europa. Aparentemente, a comienzos del siglo XIII este juego formaba parte de las virtudes que un caballero debía dominar. Sin embargo, para la Iglesia Católica el ajedrez se convirtió en «una piedra en el zapato», tal vez debido a que se solía apostar grandes cantidades de dinero a los resultados. Pese a todo, con el tiempo el ajedrez adquirió prestigio moral: «Este mundo es como un tablero de ajedrez, donde hay reyes, condes, caballeros, jueces y peones. Y así dispone Dios su juego con nosotros. El diablo siempre le hace jaque a los que sucumben ante pensamientos pecaminosos, y a las almas de quienes no aprenden a defenderse, les hace mate».

Propagación en Europa

La forma de las figuras fue cambiando a medida que el juego se generalizaba en Europa. Se crearon bellas piezas talladas en madera, piedra, cristal o hueso, mientras que la reina, los alfiles o la torre sustituían a sus predecesores indios. Las reglas también sufrieron modificaciones, se unificaron y se publicaron.

Figuras de ajedrez de madera africanas

Las reglas del ajedrez

Se juega entre dos personas, y las piezas de cada una son de un color diferente. Cada jugador dispone de ocho peones y un rey, además de siete oficiales: dos torres, dos alfiles, dos caballos y una reina. Los colores más utilizados son el blanco y el negro. Las figuras se colocan frente a frente.

Posición inicial

Colocación

Primera fila, de izquierda a derecha: torre, caballo, alfil, rey, reina, alfil, caballo, torre. Las reinas tienen una regla propia: ¡La reina blanca en un escaque blanco, la negra en uno negro! En la segunda fila se colocan los ocho peones.

Comienzo de la partida

Las blancas juegan en primer lugar. Todas las figuras deben moverse según unas reglas fijas, pudiendo «comer» a una pieza enemiga al ocupar su escaque. Se juega por turnos: una jugada de las blancas, una de las negras. El objetivo del juego es derrotar al rey enemigo. Si este ya no puede defenderse ni colocarse en un escaque que no se halle amenazado, se produce el «jaque mate». Aunque el rey se puede mover en todas direcciones, solo puede avanzar un escaque cada vez, de modo que para ganar necesita a todo su ejército, que lo protege al tiempo que ataca al enemigo e intenta vencer a su rey. A medida que caen oficiales, el rey se encuentra más desprotegido, así que intenta no perder demasiados, ¡sobre todo cuida a la reina!

Cómo se mueven las figuras

 Rey: avanza en cualquier dirección, pero solo un escaque.

 Reina (o dama): se puede mover en todas las direcciones, sin límite de escaques.

 Torre: avanza en dirección vertical u horizontal.

 Alfil: se mueve en diagonal.

 Caballo: se mueve un escaque en horizontal o vertical y luego otro escaque en diagonal. Puede saltar por encima de otras piezas.

 Peón: avanza un solo escaque hacia delante, menos en el primer movimiento, en el que puede avanzar dos. Solo puede «comerse» piezas en diagonal hacia delante. Si alcanza la última fila, se transforma en reina.

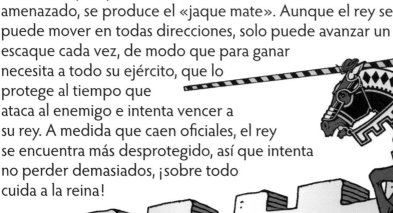

Los torneos

Muchos caballeros disfrutaban participando en «torneos» en los que podían demostrar sus cualidades. El término deriva del alto alemán medieval *turnier*, que significa «juego de fuerza». Los torneos eran una lucha deportiva muy reñida en la que participaban varios caballeros. Los más ricos mandaban confeccionar armaduras especiales que solo utilizaban durante estos eventos.

¿Cómo transcurría un torneo?

Durante el torneo, los caballeros acostumbraban a vivir en una tienda.

Días antes del inicio del torneo, los caballeros colocaban sus tiendas en las cercanías del lugar del combate. Alrededor de este se construían tribunas, para que los espectadores pudieran ver el espectáculo. En el centro se sentaba el señor, el rey o incluso el emperador, junto a los nobles, los caballeros de mayor edad y numerosas damas. Cada una de ellas elegía su caballero favorito y le hacía entrega de un símbolo de su afecto: un pañuelo, un blasón o una bandera. Los caballeros, adornados con los colores de sus damas, luchaban entonces en duelo (uno contra otro). El ganador pasaba a la próxima ronda y el perdedor, que por lo general había sufrido graves heridas, era retirado en camilla. Si alguno violaba las reglas perdía de inmediato la admiración de los espectadores, en especial de las damas. Y, para un caballero, la admiración y el honor eran lo más importante.

Tipos de luchas

Se practicaban la pelea de espadas, el lanzamiento con arco y las célebres justas, en las que dos caballeros, armados con una lanza, galopaban el uno hacia el otro con el fin de tratar de derribar al rival. Además, también tenían lugar peleas grupales como el *buhurt*, en las que varios «equipos» luchaban los unos contra los otros. Aunque inicialmente los torneos se concibieron como un entrenamiento para los caballeros, terminaron siendo espectáculos masivos cuyo fin no era otro que entretener.

Palabras desordenadas

ZALAN
ALCABOL
RETONO
SOLITALC
ROTERT

Algo ha pasado aquí, las palabras están desordenadas. ¿Puedes ordenar las letras de las banderas de tal modo que formen palabras?

¿Qué sucedía durante un torneo?

Este texto proviene de una antigua crónica: «En el torneo de Chalons, en 1273, se perdió el control de la situación porque el conde de Chalons agarró a Eduardo I de Inglaterra por el cogote e intentó tumbarlo de su caballo, contraviniendo las reglas en opinión del rey. El pueblo de a pie se inmiscuyó y se produjeron muertos y heridos entre los participantes y los espectadores. El incidente pasó a la historia no como un torneo, sino como "la pequeña batalla de Chalons"».

El cerdo y la suerte

En algunos países, como Alemania y Austria, el cerdo se relaciona con la buena suerte. Pero, ¿de dónde proviene la relación entre el cerdo y la suerte, y por qué en estos países se considera el cerdo un símbolo de fortuna? Lo más probable es que el origen se encuentre en la Edad Media. En los torneos, los perdedores solían recibir como premio de consolación un cerdo, al que se podían comer, si no lo vendían. Es decir, el cerdo representaba un golpe de suerte sin haber hecho nada para merecerla. Con el tiempo este animal se convirtió en un símbolo de buena suerte.

¡Ven a jugar!

Laudina y Gislahario juegan al escondite en el castillo. ¿Dónde se esconderá Gislahario? Si encuentras la primera letra y sigues las líneas, lo averiguarás.

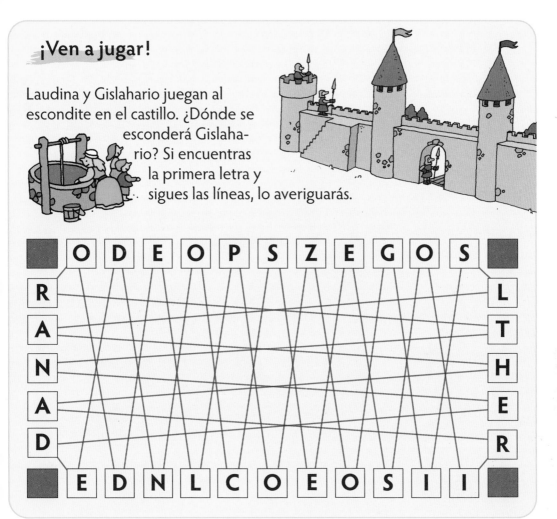

O D E O P S Z E G O S

R A N A D

L T H E R

E D N L C O E O S I I

¿Sabías que...

... muchos **juegos** infantiles ya existían en la Edad Media? Los chicos solían jugar a imitar a los caballeros adultos. Otros juegos muy populares en aquella época eran la gallinita ciega, el escondite y cabalgar sobre un caballo de madera.

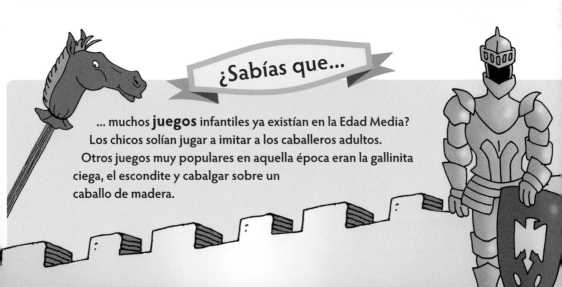

Arte y literatura

Habrás leído y oído cosas sobre la vida de algunos pintores y escritores famosos, como por ejemplo Pablo Picasso y J. K. Rowling. Seguro que también te gusta escuchar música y tienes algunos cantantes preferidos. En la Edad Media, la gente, al igual que tú, se interesaba por el arte, en especial los nobles y los ricos. Los cantantes y poetas eran bienvenidos en muchos castillos, pues sus historias y canciones hacían más interesante la vida. Pero también otros ámbitos del arte, como la arquitectura, ocupaban un lugar privilegiado.

El castillo de Rapperswil, en Suiza, se construyó hacia el año 1200 por encargo del alcalde Rodolfo de Rapperswil. Sin embargo, no se sabe quién fue el maestro constructor.

Arquitectura

Los maestros constructores recibían dinero a cambio de edificar fornidos castillos para la nobleza o iglesias para el clero. Las obras duraban décadas, y gracias a ellas el maestro constructor, sus trabajadores y sus respectivas familias podían comer. Solo se conservan unos pocos nombres de los arquitectos de aquella época, y a menudo no se sabe quién diseñó las grandes fortificaciones o las extraordinarias iglesias medievales.

En la época de los caballeros hubo dos grandes **estilos arquitectónicos:** el Románico y el Gótico.

El Románico

El Románico constituyó un importante estilo artístico que se extendió más o menos entre los años 1000 y 1250. La arquitectura románica llegó hasta Oriente Próximo con las Cruzadas. Se distingue por su sencillez, sus pesados muros y sus arcos de medio punto (semicirculares).

La catedral de Trani en Apulia, sur de Italia

El Palacio Papal de Aviñón

El Gótico

El Gótico, que surgió en las cercanías de París, reemplazó al Románico y duró aproximadamente hasta 1500. Las iglesias góticas eran mucho más altas, poseían ventanas más grandes y sus arcos eran apuntados (u ojivales). El Palacio Papal de Aviñón, en realidad una fortaleza, es un excelente ejemplo de la arquitectura gótica.

Pintura y escultura

Los pintores y escultores no ganaban fortunas en aquella época, pues entonces el arte era de naturaleza más bien utilitaria. Sin embargo, los artistas más talentosos tenían la oportunidad de inmortalizarse gracias a sus figuras esculpidas en piedra en las fachadas de las grandes catedrales (principalmente en las góticas), o con las pinturas murales que relataban la vida y pasión de Cristo (Románico y Gótico). Estas pinturas se llaman frescos.

Fresco del pintor italiano Giotto (Padua, Italia)

Alberto Durero

El pintor alemán Alberto Durero creó este célebre grabado: «El caballero, la Muerte y el Diablo». La obra simboliza la difícil vida de un caballero, en la que la muerte puede darle alcance en cualquier momento. Durero vivió entre 1471 y 1528, es decir, cuando la época de los caballeros llegaba a su fin.

Grabado de Alberto Durero: «El caballero, la Muerte y el Diablo»

El amor cortés

Durante la Edad Media surgió una forma especial de poesía denominada lírica trovadoresca. El término «amor cortés» implica el amor y la idolatría por parte de un caballero hacia su dama y señora. El amor cortés sirvió como tema para numerosos poemas, canciones e historias.

Los trovadores

Los escritores medievales a menudo musicalizaban sus historias y poemas y los cantaban en las cortes. Trataban del amor cortés, pero también de los intrépidos caballeros y sus aventuras. Los trovadores más famosos fueron Hartmann von Aue, Bernart de Ventadorn, Walther von der Vogelweide, Wolfram von Eschenbach, Marcabrú, Chrétien de Troyes, Hugo von Montfort, Adam de la Halle, Oswald von Wolkenstein y Peire Vidal.

Hartmann von Aue

Nota

El poeta alemán **Hartmann von Aue** escribió una novela sobre el caballero Iwein, que vivía en la célebre corte del rey Arturo, aunque la historia no la inventó él sino que la trasladó del francés al alemán. Su verdadero autor es Chrétien de Troyes.
Wolfram von Eschenbach también adaptó una figura de Chrétien de Troyes para crear a su famoso «Parsifal», otro caballero de la corte del rey Arturo.

El castillo de Wartburg

El castillo de Wartburg está
ubicado cerca de Eisenach, en
Turingia, Alemania. Su fundación
se remonta a 1067, de modo que
no le falta mucho para alcanzar
¡1000 años! Era el castillo principal del landgrave de Turingia
y un centro de cultura cortesana.
Muchos cantantes y poetas actuaban en él. Más tarde, otros
personajes importantes
también vinieron a este

El castillo de Wartburg en Turingia

lugar. Martín Lutero, el reformador, realizó allí su traducción del
Nuevo Testamento al alemán. El poeta alemán Johann Wolfgang von
Goethe también visitó el castillo varias veces. El edificio principal se
ha mantenido en excelente estado, aunque ya no vive nadie en él.
El castillo de Wartburg es un monumento que se puede visitar.

¿Sabías que...

... se cree que en el año 1206 tuvo lugar un concurso de **trovadores?** Siendo Hermann I
el gobernador del castillo de Wartburg,
diversos trovadores se reunieron allí con
el fin de competir en un concurso de
música y lírica. ¿Quién tenía la mejor
voz? ¿Quién había compuesto la mejor canción? Entre los participantes se
encontraban probablemente Walther von der Vogelweide y
Wolfram von Eschenbach. Los poemas que se recitaron en esta
«guerra de cantantes del castillo de Wartburg» se recopilaron
en una colección.

Descubre el torreón

Completa los espacios del
crucigrama con los conceptos
ilustrados por los dibujos
y descubrirás en las casillas
resaltadas el nombre de
una famosa fortificación.

Solución: ....

Moda

En la época de los caballeros también existió cierto estilo de moda. A comienzos de la Edad Media, la mayor parte de la ropa se elaboraba con telas de lana y lino, pero a partir del siglo XII se empezaron a utilizar otros materiales, como seda, satén, terciopelo y damasco, «importados» por los caballeros durante las Cruzadas. Sin embargo, solo los nobles y el clero podían permitirse estas nuevas telas; para el resto de la población resultaba imposible pagarlas.

La indumentaria de los caballeros

La ropa masculina, muy guerrera por la armadura con cota de malla, un gran yelmo y un faldón, ofrecía un aspecto más bien femenino en tiempos de paz, pues era muy similar a la ropa que vestían las mujeres. Por encima de un camisón largo hasta los pies se llevaba una túnica divida en dos o cuatro partes. La capa podía ser de corte semicircular o redonda e incluía una capucha. En el cinturón, en la punta de los alargados zapatos y en el escote se solían coser pequeños cascabeles que producían un sonido tintineante. Los hombres también llevaban el pelo largo y ondulado.

El emperador Luis IV de Baviera vestía de modo elegante.

La indumentaria de las damas

Las damas respetables llevaban un velo cosido a la cofia. El faldón debía cubrir los pies. En cambio, la túnica era bien ajustada, solo las mangas eran amplias y a veces incluían bolsillos. Una orla dorada de unos 10 centímetros de ancho decoraba el escote y las mangas. Al igual que el remate inferior de la túnica, las orlas estaban provistas de piedras semipreciosas. Las mujeres de familias ricas lucían joyas, como pulseras o anillos, en varios dedos.

Los campesinos y ciudadanos

El pueblo llano vestía de un modo muy parco, de acuerdo con su baja clase social. Un sayo áspero, atado con un burdo cinturón sobre las caderas y cuyo fin era ofrecer algo de protección ante las inclemencias del tiempo, era la vestimenta básica. Los ciudadanos (o villanos) con frecuencia vestían al estilo franco antiguo o germánico: la indumentaria masculina solía consistir en un delantal con mangas sujeto mediante un cinturón y dos calzas (dos calcetines muy largos que cubrían toda la pierna y se sujetaban con cintas). Las mujeres se cubrían el cuerpo con un faldón de mangas largas y estrechas, se ponían una túnica por encima y luego una capa.

El cazador de dragones

1 2 3 4

Las dos damas de la corte quieren acudir en ayuda del valeroso cazador de dragones. ¿Cuál de los caminos deberán tomar?

El fin de los caballeros

Con el tiempo, los príncipes y reyes se percataron de que lo más les convenía era liberarse de todas las obligaciones y dependencias que el sistema feudal traía consigo. Para ello empezaron a utilizar soldados profesionales, los llamados mercenarios. Esto aumentó el poder de los reyes, pero redujo el de los caballeros, pues de pronto su función había caído en otras manos y dejaron de ser necesarios. ¿Y qué hicieron los caballeros sin trabajo? Algunos se dedicaron a robar y saquear a lo largo y ancho del territorio; otros comenzaron a atacar a sus vecinos, únicamente por el placer de pelear.

De muchos castillos antes magníficos hoy solo quedan las ruinas.

Los viejos buenos tiempos

Al mismo tiempo surgió la moda de la caballería entre la nobleza. Para los nobles, todo lo relativo a la caballería despertaba la nostalgia de «los viejos buenos tiempos». Se fundaron órdenes de caballería consagradas a los ideales caballerescos, aunque carecían de cualquier función. Enrique VIII era un apasionado de la caballería, y aún más el emperador alemán Maximiliano I de Habsburgo, quienes organizaban grandes banquetes y torneos. Pero la muerte accidental de Enrique II, el rey de Francia, causada por una herida de lanza durante un torneo, puso fin a estas diversiones de la nobleza.

El rey Enrique VIII

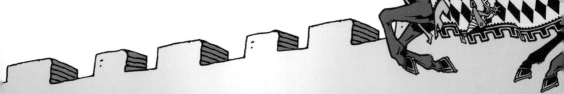

El emperador Maximiliano I

Maximiliano I de Habsburgo vivió entre 1459 y 1519. Fue un rey alemán que posteriormente fue coronado emperador del Sacro Imperio Romano Germánico. Adoraba la época de los caballeros y soñaba con su regreso, así que organizó los torneos de caballeros más ostentosos de toda Europa, en los que él mismo participó con mucho éxito. Su lema era: «A través de tantos peligros». Maximiliano I recibió el apodo de «el último caballero».

El emperador Maximiliano I de Habsburgo

¿Ves las diferencias?

Hay siete diferencias entre estas dos imágenes.
¿Podrás encontrarlas todas?

Caballeros célebres

Mientras que algunos famosos caballeros fueron figuras históricas, otros son la creación de un autor en una novela o un poema. Ya hemos hablado de Ricardo Corazón de León, de Federico Barbarroja y de Felipe II. Por supuesto, hay muchos otros caballeros que existieron realmente, pero también están aquellos que perviven gracias a las leyendas e historias.

El caballero Roldán

Roldán: el emblema de la libertad

En la época de Carlomagno nació en la Bretaña (Francia) un hombre que se convertiría en el modelo a seguir por todos los caballeros. Su nombre era Hruotland, pero en castellano lo llamamos Roldán. Nació en el año 736 y murió sobre el campo de batalla en el 778. Servía a Carlomagno y, según una leyenda, fue responsable de rechazar el ataque de los musulmanes en el Pirineo. Su vida ha sido imaginada en el célebre *Cantar de Roldán.*

¿Sabías que...

... **Roldán** también representa otra cosa? En toda Europa puedes admirar estatuas de Roldán, que muestran al caballero con la espada levantada. Constituyen el símbolo de la independencia de una ciudad que posee el **Derecho de Ciudad.** En Alemania encontrarás algunas de estas estatuas en las ciudades del norte y el este del país. En Bremen, por ejemplo, una estatua de Roldán atestigua la voluntad de autogobierno de la ciudad.

La leyenda del rey Arturo

Seguro que has oído hablar del mítico rey Arturo, quien, según cuenta la leyenda, reunió a los mejores caballeros del mundo en torno a su Mesa Redonda. Arturo gobernaba Inglaterra desde su castillo en Camelot. Poseía la fabulosa espada Excalibur. Muchos célebres caballeros lo acompañaban, como Lancelot, Iwein, Erec, Parsifal y Gawain, cuyas hazañas también fueron cantadas en canciones y poemas. A todos los unía el deseo de encontrar el Santo Grial, la copa en la que Jesucristo bebió durante la última cena. No se sabe con certeza si Arturo existió, pero se cree que su personaje está inspirado en un rey inglés que vivió hacia el año 500 después de Cristo.

¿Sabías que...

… la espada **Excalibur** confería a su portador poderes sobrehumanos?

Sopa de caballeros

En esta sopa de letras se esconden los cinco caballeros de la Mesa Redonda del rey Arturo antes mencionados. ¿Puedes encontrarlos? Sus nombres pueden estar en sentido horizontal, vertical o diagonal, al derecho o al revés.

C	X	V	I	Y	W	T	P	E	L	D
C	U	B	R	A	T	C	A	R	A	S
G	A	P	T	C	S	Y	R	J	N	M
T	A	O	W	F	A	W	S	Y	C	C
Y	J	W	O	A	C	D	I	W	E	E
K	Y	Y	A	M	Ñ	G	F	Q	L	R
X	R	O	K	I	W	F	A	E	O	E
Q	I	W	E	I	N	R	L	H	T	Q

~~EREC~~

~~GAWAIN~~

~~IWEIN~~

~~LANCELOT~~

~~PARSIFAL~~

Rueda de palabras

¿Quieres averiguar el nombre de un objeto legendario que se esconde en esta rueda? Para ello deberás deducir cuál es la primera letra de la palabra y si has de avanzar en dirección horaria o antihoraria.

Solución: ....

San Jorge

En los tiempos de las persecuciones a los cristianos vivió en Oriente Próximo un hombre que, según la leyenda, murió en el año 303: San Jorge. Fue mártir, y durante las Cruzadas los caballeros lo reverenciaban como matador de dragones. Es el patrón de muchos países, como Inglaterra, Georgia, Cataluña, Lituania, Malta, Serbia y Sicilia. En la isla de Reichenau, en el lago Constanza, hay un monasterio al que pertenece una iglesia romana que lleva su nombre.

Iglesia de San Jorge en la isla Reichenau

Götz von Berlichingen

Un caballero cuya fama ha perdurado hasta nuestros tiempos fue Gottfried «Götz» von Berlichingen, también conocido como «mano de hierro». La razón de su apodo es simple: después de perder su mano derecha, utilizaba una prótesis de este material. Vivió durante la transición entre el final de la Edad Media y los inicios del Renacimiento. El gran escritor alemán Johann Wolfgang von Goethe lo inmortalizó en su drama *Götz von Berlichingen*.

Götz von Berlichingen y su mano de hierro

El Cid Campeador

El caballero español más importante, reverenciado y admirado por el pueblo, es el Cid Campeador. Fue un caballero castellano que se enfrentó a los musulmanes durante la Reconquista. Su nombre auténtico era Rodrigo Díaz de Vivar, pero lo llamaban Cid (del árabe sidi, «señor»).

El Cid Campeador

Don Quijote de la Mancha

Aun después de que la caballería andante hubiera desaparecido debido a las nuevas estructuras políticas y las armas más avanzadas, todavía quedaba gente que soñaba con «los viejos buenos tiempos». Durante el siglo XVII, el escritor español Miguel de Cervantes eligió este tema para escribir una novela que trata sobre un hombre que, después de leer demasiadas novelas de caballería, decide que él también quiere ser caballero. Don Quijote escoge como escudero a un campesino llamado Sancho Panza, y ambos salen a vivir aventuras. Tal vez conozcas la expresión «luchar contra molinos de viento», que significa que se emprende una lucha condenada al fracaso de antemano. Esta frase proviene de una escena de Don Quijote, en la que el caballero ataca unos molinos de viento creyendo que se trata de gigantes.

Don Quijote junto a Sancho Panza, su escudero

Ivanhoe

Ivanhoe es otro célebre personaje literario. Vivió en la época del rey inglés Ricardo Corazón de León y de Robin Hood, quien también aparece en la novela. Ivanhoe fue un noble caballero que regresó a Inglaterra procedente de Tierra Santa. La novela fue compuesta en 1820 por el escritor escocés Sir Walter Scott.

Ivanhoe y Robin Hood

Caballeros en Asia

También en otros continentes existieron caballeros que vivían de acuerdo a ciertas reglas y virtudes. Quizás los más conocidos sean los samuráis de Japón. Al igual que los caballeros europeos, los samuráis eran guerreros que pertenecían a la nobleza japonesa.

Puzle del samurái

Averigua dónde se deben colocar las piezas del puzle para obtener un guerrero samurái japonés.

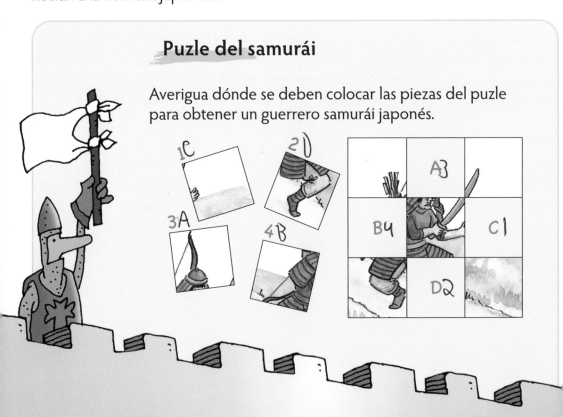

Caballeros hoy día

Aunque la Edad Media haya terminado hace varios siglos, la época de los caballeros continúa entusiasmando a muchos. Seguramente alguna vez

has visto un mercado medieval. En estos eventos, los participantes se visten como lo hacía la gente hace 1000 años y los productos que se venden han sido elaborados como en aquella época. En algunos de esos mercados se celebran torneos, en los que hombres disfrazados de caballeros luchan entre sí.

Nota

El **espaldarazo** todavía existe. La reina de Inglaterra está autorizada para impartir la jerarquía de caballero. Algunos cantantes, escritores, actores, pero también científicos y deportistas, han sido honrados de esta forma cuando han hecho algo fuera de lo común que los distingue. Después del espaldarazo, pueden llamarse *Sir*. Hace poco tiempo la reina de Inglaterra nombró caballero a Christopher Lee, el actor que hizo el papel del malvado mago Saruman en *El señor de los anillos*.

Test

Aquí podrás comprobar tus conocimientos sobre los caballeros. Marca la respuesta correcta con una cruz.

1. ¿Cómo se llama un castillo que se encuentra en lo alto de una montaña?
❏ Castillo superior
❏ Castillo de montaña
❏ Castillo elevado

2. ¿A través de qué estructura se lanzaba brea caliente o piedras a los enemigos durante un asedio?
❏ Matacán
❏ Arpillera
❏ Malaca

3. ¿Quién servía la comida en las grandes fiestas de los castillos?
❏ La reina
❏ Los siervos
❏ El cocinero

4. ¿Cuántos años duraban los períodos de aprendizaje en la formación de un caballero?
❏ Siete años
❏ Cinco años
❏ Doce años

5. ¿A través de qué ritual se nombraba caballero a los escuderos?
❏ Respaldón
❏ Espaldarazo
❏ Golpe de espada

6. ¿Quién fue un importante emperador en la Edad Media?
❏ Carlorrojo
❏ Carlomagno
❏ Carlos el Gigante

7. ¿Quién disfrutaba de mayor poder durante la Edad Media?
❏ El pueblo
❏ El rey
❏ El presidente

CABALLEROS Y CASTILLOS

Preguntas sobre el libro

¿Qué cosas te gustan de los caballeros?

_____

_____

_____

¿Qué personaje medieval te hubiera gustado ser? ¿Por qué?

_____

_____

_____

¿Cómo hubiera sido tu blasón en la Edad Media?
Crea un motivo que sea acorde contigo.

_____

_____

_____

¿Has aprendido algo nuevo en este libro? ¿El qué?

_____

_____

_____

¿Sobre qué aspecto te gustaría continuar aprendiendo?

_____

_____

_____

Soluciones

Página 3:

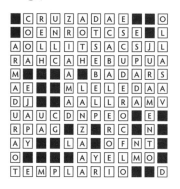

Página 4:

Página 7: el barco 3

Página 9:
A y F, B y H
D y D, E y G

Página 11:

Página 11:
FEUDALISMO
VASALLAJES

Página 12:
Kiosco, botella, cucu-
rucho, pirata, paraguas,
antena, bandera pirata,
televisor, cinta, coche
de policía, patín

Página 14: torre C

Página 20:
8 x 2 = 16, 19 - 13 = 6,
11 + 9 = 20, 7 + 5 = 12,
ESPALDARAZO

Página 23:

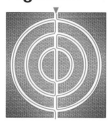

Página 28:

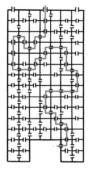

Página 31:
1. Cota de malla
2. Flecha
3. Arco
4. Adarga
5. Lanza
6. Espada
7. Caballo
8. Blasón
9. Armadura
Solución: GREBA

Página 34:
Solución: PISTOLA
(Letras en el orden
de las casillas: 1=T, 2=I,
3=L, 4=P, 5=O, 6=S,
7=A)

Página 36:
1. Sacristán
2. Escribano
3. Ballester

Página 37: 20 torres

Página 40:
Blasones 3 y 8

Página 43: CALDOS

Páginas 48/49:

Página 54:
Armadura
Foso del castillo
Cruzada
Caballería pesada
Edad Media
Cota de malla
Blasón y escudo
Orden Templaria
Espaldarazo
Armas blancas

Página 59:
1. Muralla
2. Torreón
3. Bufón
4. Puerta
5. Puente levadizo

Página 63:

2	3	6	5	9	2	7	6	4
6			1		4			2
2		2		9		1		
7	9	9	7	3	1	5	8	7
4								9
2	5	7	8	9	3	4	7	6

Página 64:
11 Espadas
MATACÁN

Página 68:

Página 73:
1. Leche
2. Huevos
3. Manzana
4. Queso
5. Uva de vino
6. Pan
Solución:
ESPINACAS

Página 75:

Página 76:

Página 82:
Yago

Página 87:
Roter = Torre
Solitalc = Castillo
Retono = Torneo
Alcabol = Caballo
Zalan = Lanza

Página 89:
GISLAHARIO SE
ESCONDE EN EL
POZO

Página 95:
1. Castillo, 2. Blasón, 3. Bandera, 4. Escalera,
5. Ventana, 6. Espada, 7. Tejado, 8. Yelmo,
9. Caballo, 10. Corona, 11. Escudo
Solución: Torre del Oro

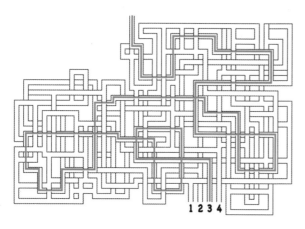

1 2 3 4

Página 100:

Página 103:

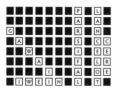

Solución:
EXCALIBUR

Página 106:
1–C
2–D
3–A
4–B

Página 108:
1. Castillo elevado
2. Matacán
3. Los siervos
4. Siete años
5. Espaldarazo
6. Carlomagno
7. El rey

Créditos fotográficos